SUMARIO

VIRIDIANA
Número 11, diciembre de 1995

Revista trimestral sobre el guión cinematográfico
Directora: Mercedes Fonseca
Diseño: Miguel Gómez - GJ Comunicación
Maquetación: Agustín Escudero
Secretaria de Redacción: Socorro Thomás
Colaboradores: Ana Díez, Santos Zunzunegui, Dwight Porter,
Carlos Losilla, Pablo Pérez.
Consejo de Redacción: Javier Abásolo, José Luis Borau,
Carlos F. Heredero, Angel Fernandez Santos, Abraham García,
Fernando Lara, Jorge Martínez Reverte, Mario Onaindia,
Tony Partearroyo, Eduardo Rodríguez,
Agustín Tena, Mirito Torreiro, Miguel Vidal, Manuel Vidal Estévez.
Gerencia: Gonzalo Pérez Pita
Secretaria: Cristina Solares
Redacción, Administración y Suscripciones: Almirante, 15. 28004 Madrid.
Teléfono: 532 67 94. Fax: 532 91 46
Distribuidor: Celeste. Fernando VI, 8-4º dcha. 28004 Madrid
Teléfono: 310 05 99
ISNN: 1132-9041
Depósito legal: M. 22078-1991

EDITORIAL

Sin duda Sin Perdón (Unforgiven) supone un punto de inflexión en la historia del western. David Webb Peoples escribió el guión 17 años antes de que Clint Eastwood rodara la película. Pero como podrán comprobar los lectores de VIRIDIANA, el film es sumamente fiel al texto –salvo algunas diferencias que no dejan de ser relevantes y que añaden interés a la comparación.

VIRIDIANA ha contado en este número con dos aliados excepcionales: Dwight Porter, que ha sido nuestro embajador ante Peoples, y el propio Peoples, que aceptó con gusto y generosidad la idea de la publicación. El ha revisado el guión para esta edición y le ha contado a Porter muchas cosas interesantes de su escritura que estamos seguros de que harán disfrutar a nuestros lectores.

Pablo Pérez, Carlos Losilla y Mario Onaindía se aproximan a la obra y al lugar que ocupa en la historia del western desde tres enriquecedores puntos de vista. También es Carlos Losilla quien ha elaborado la bibliografía sobre Sin Perdón y sobre el western crepuscular.

Atendiendo a un viejo compromiso de VIRIDIANA con los lectores, Manuel Vidal Estévez pone al día la bibliografía sobre la escritura de guión cinematográfico.

SIN PERDON (UNFORGIVEN)

Oscar de la Academia a
>   Mejor Película
>   Mejor Director (Clint Eastwood)
>   Mejor Actor Secundario (Gene Hackman)
>   Mejor Montaje Joel Cox

FICHA TECNICA

Dirección y Producción	Clint Eastwood
Guión	David Webb Peoples
Productor Ejecutivo	David Valdes
Director de Fotografía	Jack N. Green
Diseño de Producción	Henry Bumstead
Montaje	Joel Cox

Producida por Warner Bros. 1992.
Distribuida en España por Warner Española S.A.

FICHA ARTISTICA

Bill Munny	Clint Eastwood
Little Bill Dagget	Gene Hackman
Ned Logan	Morgan Freeman
English Bob	Richard Harris
Kid Schofield	Jaimz Woolvett
W.W. Beauchamp	Saul Rubinek
Strawberry Alice	Frances Fisher

SIN PERDON (UNFORGIVEN)

David Webb Peoples

FUNDIDO DESDE NEGRO:

1. INT. HABITACION DE ALICIA - NOCHE

La tenue luz de luna que entra por una pequeña ventana produce pequeños reflejos aquí y allá. EMPIEZAN A ATRAVESAR LA PANTALLA LAS PALABRAS DE UN TEXTO NARRATIVO.

"Procedente de una familia decente, aunque de escasos recursos, era una prometedora jovencita a la que no le faltaban pretendientes. Por eso, para su madre fue una dolorosa sorpresa que ella decidiera casarse con William Munny, un conocido ladrón y asesino, un hombre depravado y violento".

Escuchamos la PESADA RESPIRACION de STRAWBERRY ALICE y DAVEY BUNTING y los CRUJIDOS DE LA CAMA. LAS PALABRAS SIGUEN RECORRIENDO LA PANTALLA.

"Se casaron en St. Louis en 1870 y viajaron hacia el norte, a Kansas donde él se hizo granjero y criador de cerdos".

El ritmo de Davey y Alice empieza a ganar velocidad, SU RESPIRACION SE ACELERA e incluso JADEAN un poco. Durante el invierno hace un frío del diablo en Nebraska, así que cuando la manta cae de la cama, Alice REZONGA y GRUÑE.

>ALICE.–La manta, por Dios bendito, vaquero, la manta.

Hay seis pequeñas habitaciones como la que vemos, una por cada puta, en la parte de atrás del Greely's Beer Garden and Billiards. Las paredes no son más que tablones de madera, así que se puede escuchar lo que ocurre en los otros cuartos, y en ese momentos, procedente del de Delilah, llega una RISITA AGUDA Y ALEGRE. Esto es importante. LOS ROTULOS EN PANTALLA SIGUEN PASANDO:

"Ella le dió dos hijos en sus ocho años de matrimonio, y cuando murió no fue a manos de él, como su madre habría esperado, sino a causa de la viruela. Sucedió en 1878".

> DELILAH (FUERA DE CAMPO).– No, por favor.... No, no, maldito seas.

Alice y Davey dejan de follar y se ponen a escuchar, pero no se mueven.

CONTINÚAN LOS ROTULOS:

"Fue en 1881, tres años después, cuando un vaquero llamado Mike acuchilló a una puta en Big Whiskey, Nebraska, en el distrito del río Niobrara."

FINAL DEL ROTULO

> MIKE (FUERA DE CAMPO).– Te marcaré como a una jodida res, zorra...

Alice está justo detrás de él, envolviéndose en una manta mientras sale.

2. INT. HABITACIÓN DE DELILAH - NOCHE

DELILAH está apoyada en la pared, con la cara sangrando, y le tira el contenido del orinal a MIKE, que avanza hacia ella esgrimiendo una navaja abierta. Davey irrumpe desnudo en el cuarto seguido de Alice. La GENTE GRITA en otras habitaciones.

> MIKE (limpiándose la mierda).–Coge a esa puta, Davey, sujétamela.

La única lámpara de petróleo que hay en la habitación alumbra apenas lo justo para poder percibir la escena. Con todo, es suficiente para apreciar que Mike, que lleva puestos unos calzoncillos largos y va sin camisa, es un hombre fuerte, sin afeitar, con los ojos enrojecidos por el whisky.

> MIKE.–¡Maldita sea, sujétala Davey! Si no lo haces, le cortaré las tetas.

En el umbral, con el terror reflejado en los ojos, está la pequeña Sue, una putilla de quince años, a quien se dirige Alice a gritos.

> ALICE.–¡Llama a Skinny, por el amor de Dios!

Davey se muestra reticente sobre todo el asunto, pero tiene miedo de Mike, así que se pone detrás de Delilah y la sujeta.

DAVEY.–¿Qué vas a hacer, Mike?

Mike ya lo está haciendo y Delilah chilla mientras él le raja la cara con la navaja y la sangre salta salpicando a Davey. Éste, que después de todo no es más que un crío de diecinueve años, pelirrojo y con ojos azules e inocentes, se queda horrorizado.

MIKE.–Jodía ladrona, te voy a...
DAVEY.–Mike, no, por Dios, no...
ALICE.–¡Skinny! Trae tu arma.

Alice no puede esperar la llegada de Skinny y se abalanza sobre Mike, derribándole. Lucha con él aunque no es una mujer fuerte. Alice tiene veinticinco años, pero ha visto mundo y se ha trabajado algunos pueblos muy duros. Tiene unas facciones demasiado huesudas y llenas de carácter como para ser lo que se dice bonita, pero atrae a los hombres como moscas. Hay unas pocas marcas de viruela en su cara, pero eso es algo muy frecuente, y son sólo unas pocas. No como Skinny, cuya mezquina y menuda cara está comida de ellas.

PLANO DE SKINNY DUBOIS

Permanece de pie en el umbral, con su desagradable rostro marcado por la viruela, mirando friamente a Delilah, que parece un surtidor de sangre, y al revoltijo que hay en el suelo de la habitación. Levanta un Colt de gran tamaño y dice:

SKINNY.–Déjala en paz, gilipollas.

Lo dice con un tono tan gélido y autoritario que todo queda en silencio.

3. EXT. CALLE PRINCIPAL - NOCHE (NIEVE, LUNA)

Edificios en sombras. Reina el silencio invernal de Nebraska, a excepción del ruido de unas RAQUETAS PARA NIEVE.

La nieve ha cubierto por completo la calle principal de Big Whiskey, dando la impresión de que los edificios, bajos y sombríos, están esparcidos al azar.

La única estructura en la que se percibe algún signo de vida es el bar de Greely, en el que hay una ventana iluminada. En la parte delantera hay dos caballos. A unos cien metros se perciben las siluetas de dos hombres que avanzan penosamente sobre unas raquetas para nieve. El más grande es LITTLE BILL DAGGETT, y es realmente grande. Va cubierto con un enorme abrigo de piel de oso.

El más menudo es CLYDE LEDBETTER, aunque tampoco es exactamente pequeño. Le falta un brazo.

> LITTLE BILL.–No te dejó arreglarlo, ¿eh?
> CLYDE.–Diablos, ya sabes cómo es Skinny. Dijo que iba a pegarles un tiro... yo le dije "Skinny, no puedes hacer eso" y él va y dice, "Pues trae aquí a Little Bill y resolvamos esto", y yo le digo "Bill está durmiendo, Skinny" y...

Continúan su marcha sobre la nieve en silencio, acercándose cada vez más a Greely's y a las luces.

4. INT. HABITACIÓN DELILAH -NOCHE

Delilah está en la cama, con la cara cubierta de trapos ensangrentados que sólo dejan al descubierto sus ojos. Alice tiene un recipiente con agua caliente y se ocupa de ella. Little Bill, que conserva puesto su abrigo de piel de oso, observa a Delilah desde su enorme estatura. Su expresión es de repugnancia.

> LITTLE BILL.–No irá a morirse, ¿verdad?

En los ojos de Delilah y de las demás putas se percibe el miedo: CROW CREEK KATE, con sus saltones ojos de loca y su pelo crespo, y Little Sue que tiene quince años y se muestra sumisa incluso cuando no está aterrorizada, y FAITH que es la mayor y no demasiado atractiva, y SILKY que es rubia y la más bonita... Todas observan desde sus posiciones en el umbral de la puerta o en el interior de la habitación.

> ALICE (con convicción).–Vivirá. (Continúa hablando cuando Little Bill se vuelve para marcharse). Ella no ha robado nada. Ni siquiera le tocó el bolsillo.
> LITTLE BILL (se detiene y se vuelve).–¿No?

ALICE.–Lo que pasó fue que... se rió cuando vió lo pequeña que la tenía. Eso fue todo. No sabía lo que hacía.

Little Bill, se da la vuelta de nuevo, con expresión de disgusto, y se dirige a
la puerta. Alice se levanta y le sigue.

ALICE (continúa).–¿Vas a colgarles, Little Bill?

5 .INT. BAR - NOCHE

Davey está sentado desnudo en el suelo del bar y Mike está a su lado, aún en
calzoncillos. Ambos tiemblan porque se encuentran a cinco metros de la
panzuda estufa, junto a la que Clyde permanece vigilándoles.

Es un salón grande, con una tosca barra, cuatro mesas y algunas cabezas de
alce y de anta colgadas en las paredes. La puerta del fondo, donde pone
"SALA DE BILLAR", no conduce a una sala de billar, sino a los seis pequeños "dormitorios" que componen el burdel. Procedentes de éste se escuchan
los GEMIDOS de DELILAH.

Little Bill llega al bar desde la parte de atrás, agachándose para atravesar el
dintel de la puerta sobre la que está el cartel "SALA DE BILLAR"

Little Bill es gigantesco y ominoso. Algunos aseguran que consiguió la piel
matando al oso con la mirada. Otros afirman que ahogó al animal a escupi-
tajos. Sea como fuere, es un tipo grande con un bigote caido que chupa su
pipa de arcilla, y salta a la vista que no se asusta por nada.

Los dos vaqueros están muertos de miedo. No tiemblan sólo de frío. Bill se
limita a mirarles y chupar su pipa. Alice entra también por la puerta trasera
del bar y Skinny y un par de putas se agolpan en la puerta.

LITTLE BILL.–Clyde, ve donde el alemán y tráete uno de
sus látigos.

Clyde sale. En los rostros de Davey y Mike se refleja el terror más absoluto.

ALICE.–¿Vas a azotarles? ¿Eso es todo? ¿Después de lo que
han hecho?
LITTLE BILL (dando chupadas a su pipa).–Unos latigazos

no son ninguna broma, Alice.

ALICE.–Pero lo que han hecho ellos...

SKINNY *(lleva un trozo de papel en la mano)*.–Calla la boca, Alice. Little Bill, este asunto no se resuelve con unos cuantos latigazos.

LITTLE BILL.–¿No?

SKINNY *(mostrándole el papel)*.–Esto de aquí es un contrato legal... entre Delilah Fitzgerald, la puta a la que han rajado, y yo. La traje desde Boston, pagué sus gastos y demás, y tengo un contrato que representa una inversión de capital.

LITTLE BILL *(comprensivo ante el razonamiento)*.–Es tu propiedad.

SKINNY.–Una propiedad dañada. Es como si yo le cortase los tendones a uno de sus caballos.

LITTLE BILL.–Y supones que nadie querrá joder con ella.

SKINNY.–Claro que no. No si tienen que pagar por hacerlo.

Alice escucha con los ojos como brasas. Se escuchan los LAMENTOS DE DELILAH en la otra habitación.

SKINNY.–Quizá pueda trabajar de fregona o algo así, pero nadie va a aflojar dinero por una puta marcada.

LITTLE BILL *(toma una decisión y se vuelve hacia los dos vaqueros que se estremecen)*.–Vosotros dos sois de la cuadrilla de Spade. ¿Tenéis caballos propios?

DAVEY *(asintiendo con la cabeza)*.–Yo... ten... tengo... cu...cua...cuatro.

LITTLE BILL.–¿Y tú?

MIKE *(de mala gana)*.–Seis.

Skinny asiente con la cabeza muy satisfecho. Alice observa, con los ojos echando chispas.

LITTLE BILL.–Supongo que no tendréis interés en ir a juicio y todos esos follones, ¿me equivoco?

Davey y Mike asienten con la cabeza, ansiosos por complacer a Bill.

LITTLE BILL *(dirigiéndose a Mike)*.–Bien. Tú fuiste quien

la rajó. Cuando llegue el deshielo, traerás cinco caballos y se
los darás a Skinny.
MIKE.–¡Cinco!
LITTLE BILL *(a Dave)*.–Y tú... tú le entregarás dos, ¿está
claro?

Clyde llega desde la calle nevada con un látigo para carruaje en la mano.

CLYDE.–No pude encontrar nada mejor, Bill. El alemán...
LITTLE BILL.–No pasa nada, no vamos a necesitar látigo.
(a Mike y Davey) Si llega la primavera y Skinny no tiene los
caballos...
ALICE.–¿No vas... ni siquiera vas a azotarles?
LITTLE BILL.–Acabo de imponerles una multa.
ALICE.–¿Por lo que han hecho? ¿Skinny sale ganando unos
caballos y...?
LITTLE BILL *(acercándose a Alice)*.–¡No has visto bastante
sangre por una noche? Diablos, Alice, no son haraganes, ni
vagabundos, ni malos tipos. Son muchachos que trabajan
duro y que han hecho una tontería. Si fueran gente de mala
vida...
ALICE *(enfurecida)*. ¿Como las putas?
SKINNY.– Alice, atiende a Delilah.

Durante un largo momento, Alice permanece allí de pie, mirándoles con furia.

6. INT. HABITACION DELILAH - DIA

Vemos una palangana con agua ensangrentada. Junto a la cama de Delilah,
Little Sue humedece otra toalla en agua caliente mientras le cambia los vendajes. Están presentes todas las putas, más o menos vestidas, unas recostadas
en el suelo, otras apoyadas en las paredes.

SILKY *(a Alice)*.–Si a Delilah no le preocupa lo que pase,
¿por qué estás tan cabreada?
ALICE *(con apasionamiento)*.–Que a esos cabrones pestilen-
tes les guste montarnos como si fuésemos caballos no significa que tengamos que permitirles que nos marquen como a
animales. Quizá no seamos más que unas putas, pero por
Dios que no somos caballos.

Silky se queda pensativa, con el ceño fruncido, antes de tomar una decisión.

>   SILKY *(a Alice)*.–No tengo más que 112 dólares. Eso es
>   todo.
>   ALICE.–¿Qué dices tú, Faith?
>   FAITH *(a regañadientes)*.–Doscientos...

Ruidos de asombro.

>   FAITH.–...Doscientos cuarenta.
>   ALICE *(riéndose)*.–Jesús, Faith, ¿qué has estado haciendo?
>   ¿Haciendo algún trabajo especial para Skinny?

Todas las mujeres se echan a reír. Delilah deja escapar un gorjeo a través de sus vendajes y los ojos de Little Sue se iluminan.

>   LITTLE SUE *(señalando a Delilah)*.–Se ha reído.
>   ALICE.–Con lo de Kate, lo de Silky, lo mío y lo de Little S...
>   SILKY *(con tono grave)*.– No es suficiente.
>   ALICE *(decidida)*.–Puede que aún no.

7. EXT. CORRAL DE CERDOS - DÍA

El CERDO está en medio del cieno, GRUÑENDO y CHILLANDO. Es feo como un demonio y BILL MUNNY está con él en el barro, empujando al estúpido animal intentando hacer que se mueva. Munny cae de bruces y se levanta más cubierto de barro de lo que ya estaba. Aparece en PANTALLA un ROTULO NARRATIVO (SUPERPUESTO) que dice:

"Unos meses más tarde,
Hodgeman, Kansas"

Munny tiene entre treinta y cinco y cuarenta años. Está perdiendo pelo y el bigote le cae tristemente sobre la mandíbula mal afeitada. Si no fuera por los ojos parecería un granjero cualquiera afanándose en el corral con las perneras de su mono de lona metido por dentro de las botas. Mientras empuja de nuevo al animal, gruñendo por el esfuerzo, escucha una voz.

>   KID (FUERA DE CAMPO).–No parece usted un jodido

asesino hijo de puta capaz de matar a sangre fría.
MUNNY *(levanta la vista sorprendido)*.–¿Eh?

KID está tan sólo a un par de metros, con el sol a la espalda, sentando en un caballo muy grande y muy viejo. Lleva un sombrero tejano de ala ancha, chaleco y una pistolera. Es un muchacho delgado, de unos veinte años, con pelo rubio y ralo. Le faltan cuatro dientes de arriba y tiene una divertida y bizqueante manera de mirar con sus ojos de color azul desvaído. Ante todo, no parece que le vayan muy bien las cosas.

KID.–Veo que tiene sólo tres dedos en la mano izquierda, así que supongo que es usted el señor Bill Munny.

En efecto, Munny tiene tres dedos en la mano izquierda, y no parece agradarle nada esta conversación.

MUNNY.–Sí, soy William Munny.
KID.–¿El que mató a Charlie Pepper en Lake County?
VOZ (FUERA DE CAMPO).–¡Papá! ¡Oye, papá!

La voz es de Will, un crío enjuto de diez años que se acerca corriendo con su hermana de siete años, PENNY, pegada a los talones. Los niños van andrajosos y sucios, no parecen bien alimentados y ni siquiera tienen un aspecto saludable. Incluso mientras habla a su padre, Will, y también Penny, no quitan ojo a Kid. No ven muchos forasteros.

MUNNY.–¿Qué ocurre, hijo?
WILL.–Otros dos cerdos han pillado la fiebre.

Munny hace un gesto de desesperación. Kid ignora la interrupción.

KID.–Mató a Charlie Pepper, ¿no es así? Y también a William Harbey y robó el tren...
MUNNY *(con brusquedad)*.–Ya basta, amigo (a Will). Hijo, hay que sacar a este cerdo del corral y separarlo de los otros. Penny, echa una mano a tu hermano.
PENNY *(impresionada)*.–¿También está enfermo?

Munny ignora la pregunta, mientras se dirige hacia una choza de aspecto miserable.

MUNNY.–Hablaremos dentro.

8. INT. CABAÑA DE BARRO - DIA

Munny escoge una taza de hojalata de un barreño lleno de cacharros sucios. El interior de la cabaña de una sola habitación es oscuro, fresco... y pobre.

Kid comprueba la estabilidad de una de las tres sillas antes de sentarse.

> MUNNY.–¿Así que eres sobrino de Pete Sothow? Pensé que quizá fueras alguien que venía a matarme... *(con las tazas en la mano se dirige hacia el fuego)* ...por algo que pasó hace tiempo.
> KID *(sentado)*.–Podría haberlo hecho... fácilmente.
> MUNNY.–Sí, supongo que sí.
> KID.–Como iba diciendo, no tiene aspecto de ser un cabrón asesino sin escrúpulos.
> MUNNY.–Quizá no lo sea.
> KID.–Bueno, el tío Pete me dijo que era el peor hijo de puta que jamás haya existido y que si necesitaba un compañero para matar a alguien usted era el peor. Es decir, el mejor, porque se supone que es frío como el hielo y no le fallan los nervios ni conoce el miedo.

Munny sirve el café con gesto adusto. Parece que se siente herido, pero Kid no repara en ello.

> MUNNY.–Eso dijo, ¿eh?
> KID.–Yo también soy pistolero, pero no he matado a tantos como usted porque aún soy joven. Me llaman Schofield Kid.
> MUNNY.–¿Schofield? ¿Eres de Schofield?
> KID *(poniendo sobre la mesa su Smith & Wesson Schofield del 45)*.–Por mi revólver Smith & Wesson modelo Schofield.
> MUNNY.–Oh.
> KID.–Bien, ¿cómo lo ve?
> MUNNY.–¿Cómo veo qué?
> KID.–Ser mi compañero. Me dirijo hacia el norte cerca del Niobrara, en Nebraska. Voy a matar a un par de vaqueros malos.

MUNNY.–¿Por qué?

KID.–Por rajar a una señorita. Le rajaron la cara, le arrancaron los ojos, le cortaron las orejas y también las tetas.

MUNNY *(horrorizado)*.–¡Jesús!

KID *(satisfecho con la reacción)*.–Hay mil dólares de recompensa. Quinientos para cada uno.

WILL.–Papá, no puedo mover a ese jodido cerdo.

Will se ha colado en la casa llevando a remolque a Penny. Ambos están cubiertos de barro. Will maldice intentando presumir ante el forastero.

MUNNY *(avergonzado)*.–Nada de tacos, Will. Id a la bomba y lavaos un poco. Ahora voy. Comprobad los otros corrales.

Los dos niños retroceden hasta la puerta con los ojos fijos en la pistola y en el forastero. Munny camina hacia las camas, dando la espalda al Kid.

MUNNY.–Ya no me gusta eso, Kid. Creo que era culpa del whisky *(volviéndose hacia Kid)*. No he probado una gota en diez años. Mi esposa me curó... me retiró de la bebida y de la iniquidad.

KID.–Bueno... no parecen irle muy bien las cosas. Podría comprarle un vestido nuevo con su parte. Los matamos a los dos y podrá comprarle a su mujer uno de esos elegantes...

MUNNY.–Ya no está con nosotros, Kid.

KID.–¿Qué?

MUNNY.–Murió hace casi tres años.

KID *(mirándole con expresión estúpida)*.–Ah.

9. EXT. CABAÑA - DIA

Will y Penny están delante de la casa, mirando a Kid, de nuevo sobre su caballo. Munny está de pie, despidiéndose de él.

KID.–No le diga a nadie lo de la recompensa. No vaya a ser que otros pistoleros quieran hacerse con ella.

MUNNY.–Nunca veo a nadie.

KID *(alejándose)*.–Si cambia de opinión, tal vez pueda alcanzarme... al oeste hasta el Western Trail y al norte hacia Ogallala.

Munny dice adiós con la mano a Kid y durante un largo rato se queda observándoles mientras cabalga sobre la llanura cubierta de hierba. Luego se vuelve en dirección a su miserable granja, los CERDOS que CHILLAN y los dos niños que le contemplan.

> WILL.–¿Quién era ése?
> MUNNY *(prestando oídos sordos)*.–Será mejor que movamos ese cerdo.

10. EXT. CORRAL DE CERDOS - DIA

Munny en el barro con el CERDO que CHILLA. Will está empujando también. Munny cae nuevamente de bruces y cuando se levanta se quita lentamente el barro de la cara y, volviéndose, mira hacia la llanura.

PLANO DE PENNY

Se acerca al corral.

> PENNY.–Papá... creo que hay otros dos... Parece que han cogido la fiebre.

Munny frunce el ceño y mira a lo lejos, ensimismado en sus pensamientos.

PLANO DE KID

Perdiéndose en la distancia, desaparece más allá del horizonte.

11. EXT. BIG WHISKEY HILL

PLANO EXTREMADAMENTE CORTO SOBRE DELILAH

¡La cara de Delilah! El rostro de la puta acuchillada es una maraña de abultadas cicatrices, una red de marcas dominada por sus ojos profundos y hermosos.

PLANO MAS ABIERTO

Está tendiendo ropa en una cuerda en la colina que se alza sobre el pueblo. Alice, Little Sue, Silky, Kate y Faith están junto a ella, tendiendo o lavando ropa en el ARROYO.

FAITH es la primera en mirar colina abajo hacia el pueblo y descubrirles. Conteniendo la respiración se vuelve hacia Alice y llama su atención. Alice mira en la misma dirección.

12. EXT. BARRIZAL EN NORTH ROAD

Dos jinetes avanzan por la embarrada North Road. Son Quick Mike y Davey Bunting con sus caballos. Dejan atrás un letrero toscamente escrito que reza:
"Ordenanza 14. No se permiten armas de fuego en Big Wiskey. Deposítenlas en la oficina del comisario. Orden del sheriff."

13. EXT. BIG WHISKEY HILL - DIA

Las putas en la colina. Una a una, sin cruzar palabra, perciben el silencio. Se vuelven, intercambian miradas y observan a Delilah, que da un respingo y se gira para seguir tendiendo la ropa.
PLANO DE UNA BOCA DE CABALLO ABIERTA Y SKINNY
Pasando revista.

> SKINNY.–Os lo habéis tomado con calma. Dos días más y habría llamado al sheriff.

Los caballos están reunidos delante de Greely's y Skinny va de uno a otro, inspeccionándolos mientras los dos vaqueros permanecen montados.

DAVEY.–El río venía crecido y no podíamos cruzarlo.

Davey sostiene el ronzal de un pequeño pinto. Cuando Skinny comienza a inspeccionarlo, Davey lo retira.

DAVEY.–Ya tienes dos de los míos. Éste no es para ti.

Skinny y Davey se sostienen la mirada. Skinny está preguntándose hasta donde puede presionar a Davey cuando... ¡ZAS! Un puñado de barro se estrella en la cara de Davey. Los tres hombres se vuelven y ven a las putas dar la vuelta a la esquina del bar, a todas excepto a Delilah. Recogen barro de la cenagosa calle, hacen bolas con él y...

Mike recibe un impacto en el pecho y luego otro en la cara. Después de lanzarles una mirada de odio, da la vuelta a su caballo, lo espolea y se dirige al trote hacia el norte. Sobre él continúa cayendo una lluvia de barro junto con las burlas de las putas.

SKINNY.–Malditas seáis *(impacto)*. No es modo de comportarse *(impacto)*. Basta ya.

Sorprendentemente, Davey se dirige con su caballo directamente hacia los proyectiles de barro. Estos se estrellan contra su cara y su pecho mientras desmonta. Su pinto recibe un buen pegote de barro en un ojo. Davey, con gesto tierno, se lo limpia.

DAVEY.–Este pony... Lo he traído para la señorita... para la que hirió mi compañero.

Las putas dejan de lanzar barro inmediatamente. Se produce un silencio y ven que no es más que un muchacho, que está muy arrepentido y a punto de echarse a llorar. Se sienten conmovidas, especialmente Little Sue.

DAVEY.–Es el mejor de todos... mejor que los que le he dado a él *(señala a Skinny)*. Podría venderlo o... hacer lo que quiera con él.

ALICE *(recuperándose de la sorpresa)*.–¡Un caballo! La has dejado sin cara y no se te ocurre nada mejor que traerle un maldito penco.

DAVEY.–No es un pe-pe-penco, señora, es...

PLOP. El barro da a Davey en plena cara cuando Alice decide reanudar los disparos. IMPACTO sobre el pinto.

Faith, Silky y Kate dudan sólo un momento antes de continuar con sus burlas y lanzamientos. Little Sue se agacha lentamente, recoge un poco de fango, y se queda de pie con él en la mano, a punto de echarse a llorar. Observa al vaquero que escapa bajo una lluvia de barro, monta su caballo y echa a galopar mientras sigue cayéndole encima. Las mujeres profieren expresiones despectivas y corren detrás de él por la calle enfangada.

PLANO DE DELILAH

Está tendiendo en la colina y oye los gritos a lo lejos. Se vuelve, dirige sus hermosos ojos hacia abajo y ve al vaquero que sale galopando del pueblo, perseguido por los insultos de las mujeres.

14. INT. CABAÑA BARRO- PLANO CORTO SOBRE FOTOGRAFIA - DIA

Munny sostiene en las manos una foto de Claudia.

PLANO MAS ABIERTO

Está en el interior, arrodillado en el suelo junto a un baúl abierto. Observa con reverencia la vieja foto de Claudia, que sonríe radiante con su mejor vestido. Finalmente, Munny guarda la foto y revuelve entre los vestidos doblados que pertenecieron a su esposa hasta que palpa un objeto metálico. Observa el acero azulado entre la ropa blanca y lo saca. Es una vieja Starr del 44.

15. EXT. CABAÑA - PLANO CORTO DE UNA LATA DE CAFE - DIA

Munny coloca la lata sobre la cerca que hay detrás de la cabaña.

ÁNGULO MAS ABIERTO

Con la Starr en la mano derecha, Munny se vuelve y empieza a andar hacia la casa, que se encuentra a unos quince metros.

Will y Penny le miran. Intuyen que ocurre algo, pero no saben cómo preguntarle de qué se trata.

Munny observa la lata, extiende solemnemente el brazo con el que sostiene la pistola y apunta con cuidado.

¡BAM! De la pistola salen una llamarada y una nube de humo negro.

La lata no se ha movido.

Despacio, cuidadosamente, Munny alza de nuevo el arma y apunta con gran deliberación.

¡BAM! La lata no se ha movido.

Munny sacude lentamente la cabeza, contrariado, y lo intenta de nuevo.

¡BAM! Falla de nuevo.

Munny dirige una tímida ojeada a los niños. Se ha organizado una humareda. Apunta una vez más y...

¡BAM! Otro fallo más.

Munny se siente irritado. Apunta y DISPARA a la ligera. De la PISTOLA brota fuego y sale humo y...

La taza permanece impertérrita.

Will contempla sus pies, avergonzado, evitando mirar a su padre a la cara.

Munny se mete el arma en su cinto y desaparece dentro de la casa.

Will y Penny se miran nerviosos, sin saber qué va a pasar.

        PENNY.–¿Papá se dedicaba a matar a la gente?

Will no responde. Levanta la vista porque Munny ha vuelto a salir de la casa con una escopeta recortada Remington del calibre 10 en las manos.

Munny se echa la escopeta de dos cañones al hombro, apunta con cuidado y...

¡BUMMM! La lata vuela hecha pedazos... y también parte de la cerca.

16. EXT. BAJO LA SOMBRA DE UNOS ARBOLES - DIA

Hay una lápida que dice:

"CLAUDIA FEATHERS MUNNY
Nació el 11 de marzo de 1849
Murió el 6 de agosto de 1878 a la edad de 29 años reconfortada por el gozo del amor que la empujó a dejarlo todo por Cristo y las almas paganas."
"Señor, lo hemos abandonado todo para seguirte:
Qué dejaremos pues. 19:25"

La lápida se encuentra a la sombra de un par de árboles a unos cincuenta metros de la cabaña. Munny está sentado en una piedra bajo los árboles mirando la lápida. Va vestido con un traje negro barato. Retuerce su sombrero, atormentado, y empieza a decir algo en voz alta, pero no consigue hacerlo porque los hombres no hablan con las piedras. Por último, se yergue derrotado y pone un ramillete de flores sobre la tumba. Se aleja entristecido.

17. EXT. CABAÑA - DIA

La YEGUA ALBINA RESOPLA y se agita, ansiosa por desprenderse de la silla de montar. Delante de la casa Will la sujeta por la brida, frenándola con dificultad.

> WILL.–Ya no sirve para montar, papá. No está acostumbrada.

Munny se acerca a Penny y le pone cariñosamente la mano en la cabeza.

> MUNNY.–Pon flores en la tumba de tu madre, Penny. Le gustaban, ¿de acuerdo? *(volviéndose hacia Will)*. Cuida de tu hermana, hijo. Podéis matar tres pollos si hace falta, pero no más. Mantén separados a los cerdos enfermos, si puedes. Y si necesitas ayuda, ve a buscar a Sally Two-Trees a la casa de Ned Logan.

A continuación se vuelve hacia la yegua y mete un pie en el estribo para montar. El caballo se revuelve y Munny queda tirado en el polvo con un aspecto muy poco digno.

Penny se siente horrorizada y avergonzada por su padre al que adora. A Will se le ponen los ojos como platos, porque la chaqueta de Munny se ha abierto y ha visto la Starr que lleva en el cinturón.

> MUNNY *(sacudiéndose azorado)*. Tampoco yo me he acercado a una montura en mucho tiempo.

Munny mete de nuevo el pie en el estribo y el caballo empieza a respingar. Munny da brincos a su alrededor con un solo pie. Cuando intenta subir a la silla cae de espaldas.

> MUNNY. Tranquila, preciosa, tranquila...

Sigue sin conseguirlo, y para disimular su incomodidad sigue hablando con los niños mientras da saltitos alrededor del animal intentando desesperadamente montarlo.

MUNNY.–Este caballo me está dando mi merecido... tranquila, amiga... por los pecados de mi juventud... Cuando era joven, antes de conocer... a vuestra querida y difunta madre... yo era un pecador y solía maltratar a los caballos. Y ahora esta yegua... y me temo que también esos cerdos... Es el justo castigo por mi crueldad...

Al fin consigue subirse a la silla y respira hondo.

MUNNY.–Solía maldecir y maltratar a los animales... hasta que vuestra difunta madre, Dios la tenga en su gloria, me hizo comprender mis errores.

Munny da la vuelta a la yegua albina y se dirige hacia el oeste.

MUNNY (continúa hablándoles por encima del hombro).–No estaré fuera más de un par de semanas. Recordad que el espíritu de vuestra difunta madre vela por vosotros.

Will y Penny le miran, mientras Will lucha por contener las lágrimas. Penny ha perdido ya la batalla y llora a moco tendido. El CABALLO RELINCHA.

PLANO DE MUNNY

A unos veinte metros de distancia se levanta del suelo e intenta coger al caballo, que le rehúye y hace cabriolas. No le queda un ápice de dignidad.

18. INT. HABITACION DE ALICE - NOCHE

Alice y Skinny en el cuarto de ella. Alice se queja porque Skinny le está retorciendo el brazo. Aún es de noche... y las otras putas están también presentes, asustadas y nerviosas.

SKINNY (furioso).–De dónde sacásteis el dinero, ¿eh?
ALICE (dolorida).–No lo tenemos. No tenemos el dinero.
SKINNY.–Les dijísteis a esos vaqueros que sí lo teníais.
ALICE.–Les... les mentimos.
SKINNY (soltándola).–¿Qué vais a hacer cuando venga alguien a buscarlo?
(chillando). ¿Follároslo? ¿Follároslo mil veces? (se dirige hacia la puerta y luego se detiene). A la clase de tipos que vendrán a por esos mil no les hará ninguna gracia que no los tengáis. No se limitarán a rajaros un poco la cara (gritando). ¡Estúpidas zorras!

19. EXT. CASA DE LITTLE BILL - PLANO DEL SOL ARDIENTE - DIA

Sol abrasador.

Bam, bam, bam. El martillo golpea el clavo. Los dedos que lo sujetan están hinchados y amoratados. Entonces... el martillo golpea la carne.

> LITTLE BILL.–Mierda, infierno y condenación, la puta madre que me parió... Me cago en Dios.

Sin más ropa encima que el sombrero y las botas, Little Bill da brincos de dolor ante la estructura de su nueva casa de una sola planta y cuatro habitaciones, aún sin pintar y a la que le falta el porche. Aunque ha empezado a construirlo... o algo parecido. De hecho, la casa tiene un aspecto un poco raro... parece estar un tanto ladeada.

Skinny Dubois está allí de pie, en el claro, enjugándose la frente y recuperando el aliento. Observa a Little Bill

> SKINNY.–¿Se ha machacado un dedo?
> LITTLE BILL (sorprendido).–¿Eh? Hola, Skinny. No te había visto (señalando con orgullo la casa). ¿Qué te parece?
> SKINNY (contemplándola con ojo crítico).–He oído que ha hecho usted solo el tejado.
> LITTLE BILL.–¿El tejado? Dios santo, Skinny, he hecho solo prácticamente todo. El chico de Roberts trajo la madera, pero nada más.
> SKINNY.–¿Para qué es toda esa madera?
> LITTLE BILL (entusiasmado).–Para el porche. Voy a construir un porche para poder fumarme una pipa y tomarme un café al atardecer mientras miro cómo se pone el sol.

Little Bill se ha puesto de nuevo a la tarea y está colocando un tablón en su sitio.

> LITTLE BILL (sigue hablando por encima del hombro, muy orgulloso).–¿Has venido hasta aquí para echar un vistazo?

Abajo en el valle, se oye el FUERTE PITIDO DE UN TREN. Skinny, nervioso, se vuelve y ve una columna de humo entre los lejanos árboles.

> SKINNY.–Las putas...

Se detiene, dudando si seguir o no. En realidad Little Bill no le presta la menor atención a nada que no sea su casa.

LITTLE BILL.–¿Sí?

SKINNY.–Las putas llevan jodiendo sin parar con todos los vaqueros que han pasado por el pueblo durante las últimas dos semanas.

LITTLE BILL *(con una risita)*.–Mierda, Skinny, hay magnates del ferrocarril y de la ganadería, pero tú vas a ser el primer magnate de los billares.

SKINNY *(ignorándole)*.–Han estado jodiendo con ellos y diciéndoles a todos y cada uno de esos patizambos que pagarían mil dólares al primer hijo de puta que matase a los dos chicos que rajaron a Delilah.

Little Bill suelta el tablón que tenía entre manos y se vuelve bruscamente hacia Skinny. Abajo en el valle SUENA EL PITIDO DEL TREN y, tras un largo y tenso momento, Little Bill mira hacia el valle con el ceño fruncido.

LITTLE BILL.–¿Y todos esos vaqueros llevaban ganado hacia Kansas y Cheyenne?

SKINNY *(mira hacia el suelo con expresión desdichada)*.–Sí.

LITTLE BILL.–¿Toda la semana?

SKINNY *(con tono de disculpa)*.–No me he enterado hasta anoche.

LITTLE BILL.–Se debe de haber corrido ya la voz hasta Texas.

SKINNY *(reaccionando rápidamente)*.–Oh, vamos, Bill. No creo que vaya a venir nadie desde Texas.

LITTLE BILL *(sentándose)*.–¿De verdad tienen las putas todo ese dinero?

SKINNY *(tomando asiento al lado de Bill)*.–Ya sabe cómo mienten las mujeres. Las he zurrado un poco, les he preguntado donde está el dinero... dicen que no lo tienen, pero quizá hayan conseguido arañarlo entre las cinco. Podría ser.

Pausa.

LITTLE BILL.–Tanto, ¿eh?

SKINNY *(con tono esperanzado)*.–Podría usted echar a patadas a esos dos muchachos.

LITTLE BILL *(secamente)*.–Podría echar a patadas a las putas.

SKINNY *(tras una pausa)*.–Bueno, de todos modos supongo que esos dos se largarán a toda prisa.

LITTLE BILL *(con voz sombría)*.–No. Se quedarán en el territorio de Spade, donde tienen amigos.

El TREN SILBA abajo en el valle y TRAQUETEA a lo lejos, avanzando hacia el sur.

SKINNY.–Mierda, Bill, quizá no venga nadie.

20. EXT. CASA DE LOGAN - DIA

SALLY TWO-TREES, está escardando bajo un sol de justicia. Es una mujer india de unos cuarenta años, grande, que arranca malas hierbas de un cuidado jardín cerca de la casa de Logan. Levanta la vista y ve algo. Frunce el entrecejo y sigue mirando, pero no le gusta lo que ve.

PLANO SUBJETIVO DE SALLY - UN HOMBRE en la distancia, montado en una yegua albina avanza lentamente a través de los ricos campos de maíz.

PLANO DE SALLY

Mira hacia su marido, NED LOGAN, que está trabajando cerca de allí, y él parece "escuchar" su mirada, porque se vuelve hacia ella. Al ver su expresión preocupada, sigue la dirección de los ojos de la mujer y descubre también al jinete sobre la yegua albina.

NED.–Que me aspen. Es Billy Munny.

Ned es un granjero de unos cuarenta años, calvo, pero no tiene el aspecto zarraspatroso de su viejo amigo, Bill Munny.

PLANO DE MUNNY

Intenta desmontar mientras el caballo corcovea. Munny se tambalea y Sally observa la escena con expresión sombría.

MUNNY *(incómodo)*.–Hola, Sally... yo... no te veía desde

hace casi tanto tiempo como este... caballo no veía una silla.

Munny se alza del polvo. Parece incómodo mientras Sally se limita a mirarle fijamente con frialdad.

> NED *(cordialmente)*.—Entra, Bill. Sally, ocúpate de su caballo.

Munny, azorado, murmura unas palabras de agradecimiento a Sally mientras Ned le arrastra hacia la casa, muy distinta de la de Munny. Es una construcción de dos plantas, recién pintada y rodeada de un bonito jardín, con un cobertizo para las herramientas, un granero y fértiles campos alrededor.

Mientras los hombres desaparecen dentro de la casa, Sally conduce al animal hacia el granero. A sus penetrantes ojos no se les escapa la culata del fusil que sobresale ligeramente de la manta enrollada... Su mirada parece penetrar incluso el futuro... y sólo ve problemas.

21. INT. CASA DE LOGAN - PLANO DE UNAS TAZAS LIMPIAS DE PORCELANA -DIA

Ned coge las tazas de un pulcro aparador en su acogedora cocina, con su estufa de hierro fundido y una sólida mesa.

PLANO MAS ABIERTO

Munny está sentado a la mesa mirando al vacío con expresión taciturna.

> NED *(con voz grave)*.—Ya no somos delincuentes, Bill. Qué demonios, ahora somos granjeros.
> MUNNY *(con aire pensativo)*.—Sería fácil acabar con ellos... suponiendo que no hayan huido a Texas.
> NED *(cogiendo la cafetera de la estufa)*.—¿Cuánto hace que no le disparas a un hombre? *(pausa)*. ¿Nueve... diez años?
> MUNNY.— Once.
> NED.—Fácil, ¿eh? Maldita sea, no era tan sencillo entonces, y eso que eramos jóvenes y estábamos llenos de energía *(sirviendo el café)*. Bill... sería distinto si fuese algo personal, si te hubiesen hecho daño a ti... entonces, no me costaría nada pegarles un tiro.

MUNNY *(mirando a Ned a los ojos)*.–Hemos hecho cosas así antes por dinero, Ned.

NED *(tomando asiento)*.–Pensábamos que lo hacíamos por dinero... *(se interrumpe, rememorando)*. Y al fin y al cabo, ¿qué es lo que han hecho? ¿Trampas a las cartas? ¿Robar reses extraviadas? ¿Escupirle a los ricos?

MUNNY.–Rajaron a una mujer. Le arrancaron los ojos, le cortaron las tetas, le cortaron los dedos... le hicieron de todo, menos cortarle el coño, creo.

NED *(después de meditar su respuesta)*.–Bueno, supongo que se lo han ganado... *(hace otra pausa y mira fijamente a Munny)* ...Pero tú no irías si Claudia estuviese viva.

Para Munny sus palabras son como sal en una herida abierta, pero no responde. Ambos saben que Ned está en lo cierto y meditan en silencio. Por último, Munny habla con tristeza.

MUNNY *(se levanta y se dirige hacia la puerta)*.–Supongo que no te importará echarles un ojo a los críos la semana que viene. Quizá puedas ayudarles a separar un par de cerdos si es necesario.

Ned ha estado pensando mientras Munny hablaba, debatiéndose respecto a qué decisión tomar. Mientras, Munny sale por la puerta.

NED.–¿Cuánto tiempo estarás fuera, Bill?

MUNNY.–Un par de semanas, supongo.

NED.–¿Qué hay del tal Kid?

Munny se vuelve hacia Ned. Intercambian miradas y Munny se da cuenta de que Ned va a acompañarle.

NED.–¿A partes iguales?

MUNNY.–Sí. ¿Todavía tienes el rifle Spencer?

NED *(con una sonrisa)*.–Sí, y aún puedo acertarle en el ojo a un pájaro en vuelo.

22. EXT. CASA DE LOGAN - DIA

Munny muerde el polvo, se levanta rápidamente y lanza una tímida mirada por encima del hombro en dirección a Ned mientras hace otro torpe intento de subirse a la yegua.

> NED *(sorprendido por el espectáculo).*–Jesús, Bill.

PLANO CORTO - SALLY TWO-TREES

Los tristes y sabios ojos de Sally Two-Trees observan a los dos jinetes mientras desaparecen en la distancia. Su mirada es una despedida.

23. EXT. CAMINO - DIA

Dos jinetes a lo lejos. Uno de los caballos va al paso. El otro animal, de color blanco, se muestra inquieto e ingobernable. No para de hacer extraños y cabriolas mientras su jinete lucha desesperadamente por controlarlo.

24 .EXT. CAMPO ABIERTO - CREPUSCULO (PUESTA DE SOL)

Ned y Munny cabalgan por campo abierto.

> NED.–Ha debido de seguir camino.
> MUNNY.–Supongo que mañana le alcanzaremos.

25. EXT. CAMPO - NOCHE

La HOGUERA CHISPORROTEA cuando Ned vierte la grasa sobrante de la sartén en el fuego.

Munny está ya tumbado y se revuelve entre sus mantas intentando ponerse cómodo. El CANTO de los GRILLOS es ensordecedor.

> MUNNY.–Me he acostumbrado a mi cama. Voy a extrañar mi casa.
> NED *(tapándose con su manta).*–Bueno, no es sólo la cama lo que voy a extrañar yo. Voy a echar de menos... *(se calla de repente).* Demonios, Billy, lo siento. No quería...
> MUNNY.–No pasa nada, no te apures por eso *(pausa).* A ella no le ha hecho mucha gracia que vinieses conmigo.
> NED.–¿A Sally?
> MUNNY.–Me ha echado mal de ojo.

NED.–No es eso... es que es una india y los indios no son... demasiado cordiales.

MUNNY.–No la culpo, Ned. No le estoy echando nada en cara *(pausa)*. Me conoció entonces... y vió que era un perfecto hijo de puta. Ella no se da cuenta de cuánto he cambiado. Simplemente no sabe que ya no soy así.

NED.–Bueno, ella...

MUNNY *(precipitadamente)*.–No soy el mismo, Ned. Claudia... ella hizo de mí un hombre honrado, me alejó de la bebida y todo eso. El que vayamos a cometer este crimen... no quiere decir que me guste. Simplemente necesito el dinero... para comenzar de nuevo... por los niños *(larga pausa)*. ¿Te acuerdas de aquel ganadero, ese al que le disparé en la boca y los dientes le salieron por la parte de atrás de la cabeza? Sueño con él de vez en cuando. No tenía ninguna razón para matarle... al menos ninguna que pudiera recordar cuando se me pasó la borrachera.

NED.–-Eras un...un jodido loco.

MUNNY.–No le gustaba a nadie... a ninguno de los chicos. Me tenían miedo... pensaban que podía pegarles un tiro por pura mala leche.

NED.–Ya no eres así.

MUNNY.–Eagle... ese me odiaba. Y a Bonaparte no le caía bien.

NED.–Yo diría que a Quincy tampoco.

MUNNY.–Quincy estaba siempre vigilándome. Me tenía miedo.

NED.–Ya no eres el mismo.

MUNNY.–Claro que no. Ahora soy un tipo normal. No soy distinto de los demás.

Tras una pausa, Ned se da la vuelta para dormir y, a modo de despedida de buenas noches, hace un comentario amable.

NED.–Bueno, Bill, a mí siempre me has caído bien... incluso entonces.

Ned acomoda su manta, y lo mismo hace Munny. Los GRILLOS CANTAN y transcurre un largo momento, pero Munny no puede dormirse con esa mentira.

MUNNY.–No, a ti tampoco te gustaba. No eras distinto a los demás, Ned.

Y nosotros...

CORTAMOS A:

26. EXT. DIA - TREN

UN TREN SILBA.

27. INT. VAGON DE FERROCARRIL - DIA

El titular del periódico dice: "HERIDO EL PRESIDENTE GARFIELD". FUZZY, un vaquero, va sentado en el traqueteante vagón e intenta leer el periódico, lo que le supone un gran esfuerzo, en parte por el movimiento del tren y en parte porque Fuzzy no sabe leer muy bien... aunque CROCKER, otro vaquero de aspecto rudo que viaja a su lado, no sabe leer en absoluto.

CROCKER.–Lo único que quiero saber es quién fue el hijo de puta que le disparó, nada más. ¿Fue uno de esos gilipollas ingleses?

Al otro lado del pasillo se encuentran dos caballeros bien vestidos. El más delgado, el que está sentado junto a la ventanilla con una levita y un sombrero blando, es W.W. BEAUCHAMP. El que está del lado del pasillo es un individuo rechoncho de mejillas rosadas, con grandes patillas en forma de chuleta. Luce un chaleco debajo de la levita y un sombrero de seda a pesar del calor. Su nombre es ENGLISH BOB. Tiene ojos pequeños y azules, unos treinta y cinco años, y chupa sin cesar un buen cigarro.

ENGLISH BOB (con marcado acento inglés).–Se equivoca, señor. Creo que el presunto asesino es un caballero de ascendencia francesa... o al menos eso parece. Espero no ofenderle si menciono que los franceses son indiscutiblemente una raza de asesinos, aunque disparen con el culo... excepción hecha de cualquier francés que pudiera estar aquí presente, claro está.

Crocker, a quien no le agrada la interrupción, ni la entiende, obsequia a English Bob con una dura mirada.

FUZZY *(a Crocker).*–Aquí dice que es un tipo llamado 'Gitto'. G-U-I...

CROCKER *(mirando a Bob).*–A mí eso me suena a nombre inglés... 'Gitto'.

THURSTON, un vaquero que va sentado detrás de Crocker, se vuelve en su asiento, percibiendo la tensión en el ambiente. W.W. también la nota y se revuelve incómodo... pero English Bob, imperturbable, chupa placenteramente su cigarro.

ENGLISH BOB.–Bueno, señores... una vez más sin ánimo de ofender a nadie... quizá fuese una buena idea que el país eligiera una reina... o incluso un rey... mejor que un presidente. Uno no se toma tan a la ligera la idea de dispararle a un rey o a una reina. Es cosa de la majestad de la realeza, ya saben...

CROCKER *(en actitud provocativa).*–Quizá no quiera molestar, pero no para de dar la tabarra. A mí me parece que este país no necesita reinas de ninguna clase.

Crocker se mueve en el asiento para dejar al descubierto el revólver en su funda. Los pasajeros más cercanos se agitan incómodos. Un VIAJANTE mira a su alrededor en busca de una salida.

CROCKER.–De hecho, lo que he oído sobre las reinas...

THURSTON.–Cállate, Joe.

CROCKER *(a Thurston).*–¿Eh? ¿Qué mosca te ha picado, Thirsty? Ese estúpido petimetre...

THURSTON *(se dirige a Crocker, aunque sus ojos permanecen clavados en Bob).*–Pudiera ser que este 'petimetre' sea English Bob... ese que trabaja para la Union Pacific matando chinos. Pudiera ser que ande buscando algún vaquero estúpido que eche mano a la pistola... para poder cargárselo.

English Bob, sin inmutarse, sigue chupando el cigarro.

CROCKER *(apaciguado).*–¿Es eso cierto? ¿Es usted English Bob?

ENGLISH BOB *(afable).*–¿Por qué no matamos unos cuantos pavos, amigo? Diez disparos... un dólar por cada pavo. Yo tiraré en nombre de la reina, y usted puede hacerlo por... quien sea.

28. EXT. DIA - TREN

Los pavos salen volando de entre la alta hierba de Nebraska mientras SUENA el SILBATO DEL TREN.

¡BAM! Un pavo cae a plomo.
¡BAM! Otro es derribado.

PLANO DE ENGLISH BOB

Se encuentra en la bamboleante plataforma que hay entre los vagones con la pistola humeante. La levanta otra vez rápidamente, apunta y ¡BAM!

Una explosión de plumas, que caen al suelo y desaparecen entre la alta hierba.

PLANO DEL OTRO LADO DE LA PLATAFORMA

Allí están W.W. Beauchamp, Crocker, Thurston, Fuzzy y el nervioso viajante, que lleva un sombrero hongo barato. Todos están muy impresionados por el gran tirador que ha resultado ser English Bob.

> ENGLISH BOB *(a Crocker)*.–Creo que son ocho para mí... por uno suyo. En total, son siete de sus dólares americanos.
> CROCKER *(mientras cuenta dólares de plata de mala gana)*.–Es un tirador condenadamente bueno... *(desafiante)* para ser inglés.
> ENGLISH BOB *(aceptando alegremente el dinero)*.–Sin duda su puntería se ha visto afectada por el dolor que le embarga tras el atentado del que ha sido objeto... su... bueno... su presidente.

29. EXT. DIA - TREN DETENIDO

ALBOROTO DE RESES arremolinadas en los corrales que hay al sur de Big Whiskey. El tren SISEA y EXPELE VAPOR en la parada.
PLANO CORTO

Vemos dos maletas y un estuche de rifle de cuero que MUDDY CHAND-LER arroja al interior de su carruaje, una especie de diligencia descubierta. Alrededor reina el caos mientras el TREN SISEA y SUELTA VAPOR. Hay un trajín de carga y descarga de equipajes.

> CHANDLER.–Hasta Big Whiskey son cinco centavos, caballeros.

W.W. entrega el dinero a Chandler, y a continuación él y English Bob suben al coche. Les aborda JOE SCHULTZ, un alemán que lleva el establo y vende caballos a los pasajeros del ferrocarril.

> GERMANY JOE.–Tener buenos caballos parra venderr. Gran prrezio porr ser Día de Independencia.

30. EXT. DIA - COCHE ENFANGADO

English Bob y W.W. viajan en el carricoche, que da incómodos botes a pesar de la lentitud de la marcha. Van tragando polvo y sudan profusamente.

> ENGLISH BOB *(irritado)*.–Es culpa del clima, eso es. Eso, y las infernales distancias.
> W.W.–¿De qué hablas?
> ENGLISH BOB.–De lo que induce a la gente a disparar a los altos cargos *(enjugándose la frente con un pañuelo)*. Estamos en un país de salvajes. Es el segundo al que disparan en veinte años. Es una falta de civilización disparar sobre gente importante.

El CARRUAJE pasa TRAQUETEANDO junto al letrero de South Road. Es similar al de North Road, y dice:

"No se permiten las armas de fuego en Big Whiskey. Ordenanza 14. Depositen las pistolas y rifles en la oficina del comisario."

31. EXT. DIA - HOTEL DE BIG WHISKEY

El ayudante ANDY RUSSELL sale de la oficina del comisario mientras el carruaje se detiene CON ESTRUENDO delante del hotel de Big Whiskey.

Andy acaba de cumplir veinte años. Es un chico atractivo que lleva una chapa en el chaleco y una pistola a la cintura. Observa a los pasajeros que descienden del coche. Cuando le toca el turno a English Bob, su levita se abre y Andy entrevé fugazmente una pistola bajo la chaqueta.

> ANDY.–Perdonen, caballeros, pero las ordenanzas locales les obligan a entregar sus armas a la autoridad competente mientras dure su estancia.

W.W. mira a English Bob. Éste se vuelve y contempla de arriba a abajo a Andy con total indiferencia.

> ENGLISH BOB.–La autoridad competente, ¿eh? *(con jovialidad)*. Bien, señor... ni mi compañero ni yo llevamos armas de fuego encima. En lugar de ello, confiamos en la buena voluntad de nuestros semejantes y la clemencia de los reptiles.

Dicho esto, English Bob hace una elegante reverencia, se da la vuelta con un aleteo de los faldones de su levita, que permite ver que lleva no una, sino dos pistolas, y se aleja. Mientras sigue a English Bob, W. W. dirige nerviosas miradas hacia atrás para ver qué hace el joven Andy. Pero Andy está absolutamente desconcertado. A pesar de que sólo ha podido echar un rápido vistazo, ha visto que English Bob lleva las armas atadas a los muslos con unas tiras de cuero, lo que significa que su propietario quiere estar en condiciones de desenfundar con presteza... y eso ya va más allá de sus atribuciones.

32. INT. OFICINA DEL COMISARIO - DIA

CLICK, CLACK. UN RIFLE HENRY AMARTILLADO para compobrar su mecanismo. Andy está en la oficina limpiando el arma.

> ANDY.–Desarmado, y una polla...

CLACK, CA-CHAK. CHARLIE HECKER abre una escopeta de un cañón y mete un cartucho en la recámara.

> CHARLEY *(se seca la frente con un gesto nervioso)*.–Cristo, vaya calor hace.
> FATTY *(de buen humor)*.–Si me van a meter un tiro, pre-

fiero que haga calor. Cuando hace frío todo me duele más.

Fatty, que está sentado en una silla limpiando un revólver delante de la celda vacía de la cárcel, parece ignorar la tensión.

> FATTY.–¿Sabes lo que pasa cuando hace frío y te das un golpe en el pulgar? ¿Sabes cómo...?
> CHARLEY.–Calla la boca, Fatty.
> FATTY.–Sólo decía que...

Fuera, se oye detenerse BRUSCAMENTE UN CABALLO y Andy salta nervioso hacia la ventana.

> ANDY.–Clyde está de vuelta.
> CHARLEY.–¿Viene con él Little Bill?
> ANDY.–No.
> CHARLEY (preocupado).–Mierda.

Entra Clyde. Lleva dos cananas cruzadas con una pistolera a cada lado. Dado que tiene un sólo brazo lleva la culata de una pistola hacia adelante y la de la otra hacia atrás.

> CLYDE.–¿Habéis limpiado mi Remington, chicos?
> FATTY (sosteniéndolo en alto).–Limpio y cargado.
> CHARLEY.–Por Dios, ¿dónde está Little Bill?
> CLYDE (inspeccionando el arma).–Ja. Construyendo su jodido porche.
> CHARLEY.–¡Construyendo el porche!
> FATTY.–Si te fueran a pegar un tiro, Andy, preferirías que hiciese calor o...?
> ANDY (con sequedad).–Nadie me va a pegar un tiro.
> CHARLEY (a Clyde).–Vendrá, ¿verdad?
> CLYDE (sacando las balas).–Por supuesto que sí.
> FATTY.–Eh, acabo de cargarla. ¿Qué haces?
> CLYDE.–No me fío de nadie a la hora de cargar mis armas, no cuando va a haber un tiroteo.
> CHARLEY.–¿Qué te dijo?
> CLYDE.–¿Little Bill? Nada. Ya te he dicho que estaba trabajando en su porche. ¿Habéis visto ese chisme?

FATTY *(resentido)*.–Estaba cargado. Cristo bendito, Clyde, tienes tres pistolas y un solo brazo.

CLYDE *(a Fatty)*.–No quiero que me maten por no poder devolver el fuego *(a Charley)*. ¿Sabéis? No hay un maldito ángulo recto en ese puto porche... Ni siquiera en toda la casa. Es el peor carpintero que...

CHARLEY *(preocupado)*.–No dijo nada, ¿eh?

CLYDE *(metiéndose en la cintura la tercera pistola)*.–Preguntó qué aspecto tenían, eso es todo. Por Dios, será muy duro, pero desde luego no sirve para carpintero.

CHARLIE.–Puede que no sea tan duro.

Clyde levanta los ojos sorprendido. Se produce un repentino silencio.

ANDY *(balbuceando)*.–Parece como... como si estuviera... ¿asustado?

CLYDE *(divertido)*.–¿Little Bill? ¿Asustado él?

CHARLEY.–Nunca le hemos visto enfrentarse a ningún... a ninguno de esos... asesinos.

CLYDE *(escrutando las temerosas expresiones de Charley y Andy)*.–Little Bill ha estado en Kansas y en Texas, muchachos. Ha trabajado en pueblos duros de verdad.

CHARLEY *(avergonzado)*.–Hablaba por hablar. Cualquiera puede tener miedo.

Andy baja los ojos y aparta la mirada de la de Clyde.

CLYDE *(con intención)*.–No. No estaba asustado. Simplemente no es un buen carpintero.

33. INT. BARBERIA - DIA

English Bob está deleitándose con el suave tacto de sus mejillas recién afeitadas. Se levanta de buen humor del sillón, mientras sigue abrumando con su locuacidad al pobre barbero.

ENGLISH BOB.–...se puede apreciar que existe una especial dignidad en la realeza... una majestuosidad... que excluye toda posibilidad de asesinato.

El barbero limpia el chaleco de Bob con su pequeña escobilla mientras W.W. saca dinero para pagar.

> ENGLISH BOB *(sigue con su perorata)*.–Porque, si usted apuntase con una pistola a un rey o una reina, señor, puedo asegurarle que su mano temblaría como si tuviera el mal de...
>
> BARBERO *(mirando a las pistolas de Bob)*.–No sería capaz de apuntar a nadie con una pistola, señor.
>
> ENGLISH BOB *(poniéndose la levita encima de las armas)*.–Una actitud inteligente. Pero si lo hiciese, puedo asegurarle que la visión de la realeza le haría renunciar a toda idea de derramar sangre y le infundiría... temor y reverencia *(pausa)*. Por otra parte, un presidente... Quiero decir, ¿por qué no matar a un presidente?

El barbero no sabe como reaccionar ante aquel tipo, y se limita a mirarle con los ojos como platos.

> ENGLISH BOB.–Y ahora explíqueme otra vez lo de la tal Strawberry Alice.
>
> BARBERO.–No tiene más que bajar la calle y cruzar. El local se llama Greely's Beer Garden and Billiard Parlor. Pregunte por Alice y diga que quiere jugar una partida de billar.
>
> ENGLISH BOB *(a punto de marcharse)*.–Billar, ¿eh? ¿Aunque no me apetezca jugar en absoluto?
>
> BARBERO.–No se preocupe. La mesa la hicieron astillas para el fuego en el 78.
>
> ENGLISH BOB.–Ah, ya entiendo.

W.W. ya está fuera. English Bob sigue sus pasos.

34. EXT. BARBERIA/CALLE PRINCIPAL - DIA

English Bob sale por la puerta.

> ENGLISH BOB.–En marcha, W.W. Vamos a...

¡Algo va mal! Todo está extrañamente tranquilo y W.W. se queda petrificado como una estatua de sal. English Bob se da la vuelta.

PLANO DE CHARLEY HECKER

Está a unos diez metros a la derecha de Bob, apuntándole con una escopeta del calibre 12. A escasa distancia de él, Fatty Rossiter le tiene encañonado con su viejo Enfield.

PLANO DE ANDY RUSSELL

A la izquierda de Bob, pálido y tenso, le apunta con su Henry. Clyde Ledbetter está rodilla en tierra cerca de él con una de sus pistolas en alto.

PLANO DE LITTLE BILL

Se encuentra a diez metros en la polvorienta calle vacía donde ondean las banderas del 4 de julio.

> LITTLE BILL.–Hola, Bob. Muchachos, éste es English Bob.
> ENGLISH BOB *(entre dientes)*.–Mierda y huevos fritos.
> LITTLE BILL.–Ha pasado mucho tiempo, Bob. ¿Se te han acabado los chinos?
> ENGLISH BOB *(recobrando la compostura)*.–Little Bill, creía que estabas muerto. Veo que te has afeitado la barba.
> LITTLE BILL *(tocándose la barbilla)*.–Verás, siempre estaba saboreando la sopa dos horas después de haberla comido.

PLANO DE LA CALLE

Está silenciosa, desierta.

PLANO DE CARAS

Desde la ventana del restaurante Blue Bottle EGGS ANDERSON, TOM LUCKINBILL, la SRA. PEEVEY, HOPPITY THOMAS, miran atentamente hacia el exterior.

PLANO DE ALICE, KATE Y LITTLE SUE

En la ventana de Greely's y en el umbral de la puerta, preparados para ponerse a cubierto, están Skinny, Joe Schultz el alemán, y PADDY McGEE, el tonelero.

PLANO DE ENGLISH BOB

ENGLISH BOB.–Oí decir que te habías caído del caballo porque ibas borracho y te habías roto el cuello.
LITTLE BILL.–Yo también lo había oído decir, Bob. Demonios, yo mismo llegué a pensar que estaba muerto hasta que descubrí que sólo estaba en Nebraska *(pausa)*. ¿Quién es tu amigo?
ENGLISH BOB.–W.W. Beauchamp... Aquí Little Bill Daggett y... unos amigos.
W.W. *(nervioso)*.–¿El de N-n-newton... y H-hays y A-a-abilene?
ENGLISH BOB *(secamente)*.–El mismo.

Con los ojos abiertos de par en par, Charlie no se pierde detalle.

LITTLE BILL.–¿También trabaja usted para los ferrocarriles, Sr. Beauchamp?
W.W. *(muerto de miedo)*.–N-no. Yo e-es-es-cribo. Yo e-es-es-escribo.
LITTLE BILL.–¿Cartas?
ENGLISH BOB.–Libros. Es mi biógrafo.
LITTLE BILL *(intentando disimular su asombro)*.–Oh.

W.W. echa mano a un bolsillo.

44

PLANO DE ANDY, CHARLEY, CLYDE Y FATTY

A punto de disparar.

PLANO DE ENGLISH BOB

ENGLISH BOB.–Yo que tú no lo haría, W.W.

W.W. se queda congelado, aterrorizado... y a sus pies se forma un charco de orina.

W.W.–Es s-o-lo un l-l-li-bro.
LITTLE BILL *(con la pistola a medio sacar)*.–Así que un libro, ¿eh? *(volviendo a guardar la pistola y mirando la meada)*. Eso quiere decir que sabe leer... Y supongo, muchachos, que habréis visto los carteles que dicen que hay que entregar las armas... Por otra parte, según le dijiste aquí al amigo Andy no vas armado. ¿O sí, Bob?
ENGLISH BOB.–En realidad, no *(encogiéndose de hombros)*. Puede que lleve un par de pacificadores... *(intentando negociar)*. Imagino que podrías pasarlos por alto, ¿eh, Bill? No los has visto... ni los has oído.
LITTLE BILL *(frío como un témpano)*.–Me temo que no, Bob. No me gusta que haya armas por aquí.

Con una ojeada sardónica al arsenal que le apunta, English Bob hace un gesto de indiferencia y abre su levita en señal de capitulación, mostrando dos elegantes pistolas.

Little Bill hace una señal con la cabeza a Andy y éste avanza y extrae las armas de English Bob de sus pistoleras.

LITTLE BILL.–Charley, comprueba qué tipo de 'libros' lleva el Sr. Beauchamp... pero ten cuidado de no mojarte.
ENGLISH BOB *(a Andy)*.–Trátalas con cuidado, hijo.

Los mirones han atravesado ya las puertas y avanzan tímidamente por la calle, formando un gran semicírculo. Las putas están entre ellos.

CHARLEY.–No mentía, Little Bill, todo lo que lleva encima es este pequeño libro.

Charley sostiene una novelita de a diez centavos con una extravagante portada que muestra a un caballero con sombrero de copa que protege a una
dama con su cuerpo mientras dispara dos pistolas contra siete desalmados
con aspecto de "tipos del oeste". El título es El duque de la muerte*.

> LITTLE BILL *(leyendo con esfuerzo).*–El... pato de la muerte.
> W.W.–P-p-pa-to. El p-p-pato de la muerte.

English Bob hace amago de irse, pero Little Bill le pone una mano en el
hombro.

> LITTLE BILL.–Dame la 32, Bob.

English Bob se vuelve y mira furioso a Bill. Luego, viendo que no tiene
alternativa, se abre el chaleco y deja al descubierto una pequeña pistola.

> ENGLISH BOB.–Me dejas a merced de mis enemigos.
> LITTLE BILL *(cogiendo la pistola).*–¿Enemigos, Bob? ¿Otra
> vez has estado hablando de la reina? ¿En el Día de la
> Independencia?

Gran parte de la tensión ha desaparecido y la multitud empieza a murmurar.
La gente empieza a marcharse y un par de chicos echan a correr cuando de
reprente...

¡Crunch! La cara de English Bob parece hundirse bajo el impacto del puño
de Little Bill. Bob sale literalmente despedido hacia atrás y se estampa contra un costado de la barbería.

PLANO DE ALICE, ANDY, LITTLE SUE, CHARLEY

Alice se queda boquiabierta... A Andy se le descuelga la mandíbula.... A
Little Sue se le salen los ojos de la cara... Charley traga saliva.

PLANO DE ENGLISH BOB

Está derrumbado contra la pared, con expresión de asombro, mientras la
sangre mana de su boca abierta.

---

* Juego de palabras "Duke" (duque) y "Duck" (pato).

ENGLISH BOB.–¿Qu... qué...?

Little Bill se dirige hacia él con mucha calma y... le patea violentamente en el pecho.

PLANO DE SILKY, LA SRA. PEEVEY, EGGS, ALICE

Silky se esfuerza por tragar saliva, la Sra. Peevey se da la vuelta, Eggs está horrorizado y Alice tiene cara de susto.

PLANO DE ENGLISH BOB

Está a cuatro patas, sangrando. Saca un cuchillo del chaleco... pero el esfuerzo le resulta tan doloroso como inútil. No tiene la menor oportunidad.

Little Bill le mira un momento desde su impresionante altura, observando el penoso intento del hombrecillo y ¡zas!... Little Bill le patea violentamente las costillas y puede oírse la exhalación de Bob. Bill pisa con fuerza la mano en la que Bob sostiene el cuchillo y SE ESCUCHA UN CRUJIR DE HUESOS.

PLANO DE W.W. Y ANDY

W.W. está blanco como un fantasma y Andy intenta no vomitar. Se oye el sonido de otro GOLPE BRUTAL.

PLANO DE ENGLISH BOB

English Bob de nuevo a gatas en el polvo, apenas consciente.

¡Zumba! Little Bill le pega otra vez, sin cólera, pero con fuerza.

> LITTLE BILL.–Supongo que pensarás que te estoy dando de patadas, Bob... pero no es así *(zumba, otra patada)*. Lo que hago es hablar contigo, ¿me oyes? Hablo contigo y con todos los rufianes de Kansas y todos los rufianes de Cheyenne *(zumba)*. Les estoy contando que aquí no les espera el oro de unas putas...

Little Bill se vuelve y mira con enfado a las putas. Alice se siente enferma ante tanta violencia, Little Sue se muerde el labio y Silky tiene los ojos llenos de lágrimas.

LITTLE BILL *(dándole la espalda a Bob y pateándole).*–... Y que aunque así fuese... no creo que les interese venir a por él bajo ningún concepto.

Little Bill mira hacia abajo con ojos fríos como el hielo. English Bob se arrastra por el polvo ensangrentado, a punto de desmayarse.

35. EXT. CAMPO ABIERTO - DIA

Campo abierto bajo un sol de justicia. Munny y Ned avanzan al paso sobre sus caballos mientras las SILLAS CRUJEN y los PÁJAROS PÍAN en medio de la hierba, de más de un metro de altura.

Es última hora de la mañana en el Norte de Kansas y llevan cabalgando desde el amanecer, la mayor parte del tiempo en silencio. Pero algo le da vueltas en la cabeza a Ned, que mira a Munny y frunce el ceño. Finalmente, se lo suelta a bocajarro.

NED.–Dime, Bill... ¿Has ido... alguna vez al pueblo... para algo?
MUNNY *(sorprendido ante la pregunta).*–Claro, tengo que hacerlo. A buscar provisiones.
NED.–No. Me refiero... *(incómodo)* ...para estar con una mujer. ¿Sabes a lo que me refiero?

Munny rehuye su mirada, azarado, y parece que no va a contestar. Cuando lo hace, mantiene los ojos fijos en el horizonte.

MUNNY.–No. No, nunca voy al pueblo para eso *(pausa)*. Un hombre como yo... Un hombre como yo no puede conseguir una mujer si no es pagando por ella... y eso no está bien... comprar la carne *(mirando a Ned)*. A Claudia, Dios la tenga en su gloria, no le habría gustado que hiciese algo así. Soy padre de familia.

Retira la vista de nuevo.

NED *(retóricamente).*–¿Qué haces? ¿Te apañas con la mano?
MUNNY *(dirigiendo una mirada nerviosa a Ned).*–En oca-

siones... sí *(contemplando el horizonte)*. No lo echo tanto de menos.

Ned agita la cabeza, asombrado por la transformación que ha experimentado su viejo amigo, cuando...

¡CRACK! Suena un DISPARO DE RIFLE y la yegua albina recula con violencia RELINCHANDO y derribando a Munny...

El ruano de Ned sale disparado como una flecha. Ned apenas consigue mantenerse en la silla.

¡CRACK! Otro DISPARO.

PLANO DE MUNNY

Está a cuatro patas entre la hierba. Se palpa la frente, se limpia un poco de sangre y sacude la cabeza intentando reaccionar. Escucha ruidos en la hierba y se vuelve rápidamente sacando la Starr del cinturón. Se sienta y apunta hacia el lugar de donde provenía el ruido. Amartilla el arma con un sonoro CLICK.

> NED (FUERA DE CAMPO) *(susurrando)*.–Billy, Billy.
> MUNNY *(baja la pistola aliviado)*.–Sí.

Ned gatea entre la hierba junto a Munny.

NED.–Algún cabrón nos está disparando.
MUNNY.–Sí.
NED *(sobresaltado al ver la sangre).*–¿Te ha dado?
MUNNY.–No. Me me golpeado la cabeza al caer del caballo.

CRACK, otro DISPARO. Ned parece confundido y levanta la cabeza intentando echar un vistazo sin exponerse.

A unos cien metros, Ned descubre un grupo de cuatro o cinco árboles donde aún puede verse una nubecilla de humo suspendida en el aire y luego un fogonazo, más humo y ¡CRACK!

Ned ni se agacha, se limita a fruncir el ceño.

NED.–Ya no dispara en nuestra dirección *(señalando hacia la izquierda).* Dispara hacia allí. ¿A quién demonios estará disparando en esa dirección?
MUNNY.–Que me aspen si lo sé.
NED.–¿Estaremos en la plantación de alguien?
MUNNY.–Yo no he visto nada plantado.

CRACK. Otro DISPARO. Ned se pone a cubierto con celeridad.

NED.–Joder, otra vez nos está disparando.

CRACK, CRACK, CRACK.

NED *(continúa).*–Cristo bendito, no va a dejar títere con cabeza.

Después de considerarlo, Munny tiene una idea. La sopesa y la pone a prueba.

MUNNY *(a voz en cuello).*–¡Eh!
NED.–Estás revelando nuestra posición, Billy.
MUNNY *(ignorándole).*–¡Eh, Kid!
NED.–¿Kid? ¿Es él quien nos está disparando?
MUNNY.–¿Eres tú, Kid?
NED.–¿Por qué iba a dispararnos Kid?

MUNNY.–Kid, soy yo, Bill Munny.

36. EXT. ARBOLES -DIA

Kid, con el rifle apoyado en la mejilla, está resguardado detrás de uno de los árboles. Su caballo está cerca.

MUNNY (FUERA DE CAMPO).–¿Eres tú, Kid? Soy Bill Munny.

Kid frunce el entrecejo y finalmente se decide.

> KID *(gritando)*.–Sí. Soy yo.
> MUNNY (FUERA DE CAMPO).–Deja ya de dispararnos, ¿vale?

Kid mira desde detrás del árbol con los ojos entrecerrados y expresión feroz.

PS DE KID - EL CAMPO

Todo está borroso. No puede ver una mierda. Guiña los ojos y escudriña los alrededores preocupado.

> KID.–¿Quién está con usted?
> MUNNY (FUERA DE CAMPO).–Ned Logan. Mi viejo compañero Ned Logan. No dispares más, ¿me oyes?

Kid no termina de estar de acuerdo. Está nervioso y crispado. Intenta desesperadamente ver qué está ocurriendo.

> MUNNY (FUERA DE CAMPO).–Recogemos los caballos y vamos para allá. No pensarás disparar más, ¿verdad?
> KID.–No, no voy a disparar.

37. EXT. ARBOLES - PLANO DE MUNNY - DIA

Desastrado y sudoroso, camina hacia los árboles conduciendo su caballo. Ned le sigue con su ruano y no tiene mejor aspecto.

> MUNNY.–He tenido que perseguir al maldito caballo casi un kilómetro.

Kid está sentado bajo la sombra de los árboles con aspecto taciturno.

> NED *(hosco)*.–¿A qué viene eso de dispararnos?
> KID.–Creía que me seguían.
> MUNNY.–Te seguíamos. Me dijiste que si cambiaba de opinión...
> KID.–No dije nada acerca de que trajera un compañero.
> MUNNY.–Bueno, éste es Ned Logan... Ned, Kid Schofield, sobrino de Pete Sothow y...
>
> KID.–Vi que me seguían dos tipos. Supuse que venían a matarme *(pausa)*. No dijimos nada de traer compañía.
> MUNNY *(se acuclilla delante de Kid y se dirige a él en tono persuasivo)*.–Escucha, Kid. Los vaqueros eran dos, ¿no? Será mejor que seamos tres.... puede que esos vaqueros tengan amigos. Puede que...
> KID.–Les mataré a los dos yo solo. No hacen falta tres para eso.

Ned camina hacia donde el rifle de Kid está apoyado contra un árbol. Kid le observa nervioso.

> MUNNY.–Aquí Ned es condenadamente bueno con un rifle. Puede darle a un pájaro en pleno vuelo en un ojo.
> NED *(coge el rifle de Kid)*.–Desde luego soy mejor que tú, Kid. Ni siquiera te acercaste
> KID.–Quite sus malditas manos de ese rifle, señor.

Kid echa mano a la pistola y Ned suelta el rifle, molesto.

> NED.–Sólo estaba revisándolo. Puede que tenga algo torcido.
> KID.–No tiene nada torcido.
> NED.–Bueno, disparabas en todas las direcciones y...
> KID *(a Munny)*.–¿Va a compartir su parte con él?
> MUNNY.–Había pensado hacer tres partes.
> KID.–No.
> MUNNY *(a Ned)*.–Lo siento, Ned. Creo que te he hecho perder el tiempo. ¡Hasta la vista, Kid!

Munny se vuelve para irse. Ned lanza una mirada malhumorada a Kid y también se da la vuelta.

> KID *(a Munny)*.–¿Va a regresar con él?
> MUNNY *(volviéndose hacia él)*.–Es mi compañero. Si él no
> va, yo tampoco.

Ned ha montado ya y Munny empieza a hacerlo, pero la yegua se muestra tan reacia como siempre. Brinca y hace cabriolas mientras Munny salta torpemente con un pie en el estribo

> KID.–¿A cuánto salen tres partes?

Munny se vuelve y mira a Kid.

38. EXT. CAMPO ABIERTO - DIA

Los tres cabalgan a campo abierto. Kid parece llevar aún una guindilla en el culo. El único sonido que se escucha es el CRUJIDO de las SILLAS DE MONTAR.

Tras ellos, en el horizonte, se agolpan nubes de tormenta.

> MUNNY.–Oh, mierda.

Kid mira hacia atrás, pero por supuesto es incapaz de comprender qué es lo que ven.

> KID.–¿Se puede saber qué coño pasa?
> MUNNY *(sorprendido)*.– ¿Eh?
> KID.–¿Qué diablos estáis mirando?
> MUNNY.–¿Mirando?
> NED.–Las nubes, Kid. Mirábamos esas nubes y resulta que
> llevamos una tormenta pisándonos los talones.
> KID *(mirando hacia atrás)*.–Oh, eso *(con petulancia)*. Ya las
> había visto.

Ned frunce el ceño y se queda mirando a Kid. Algo preocupa a Ned.

39. EXT. LECHO DE UN ARROYO - DIA

Los tres hombres cabalgan en fila india por el lecho seco de un arroyo. Kid va en cabeza. Tras mucho meditar, Ned pone al trote su caballo y se adelanta para ponerse a la altura del Kid.

NED.–Has hecho bien en cambiar de opinión, Kid.

KID *(hosco, desconfiado)*. ¿Sí?

NED *(con orgullo)*.–Soy un tirador cojonudo *(mira hacia lo alto)*. ¿Ves ese halcón ahí arriba? Podría matarlo de un solo disparo.

PLANO DEL CIELO DESIERTO

No hay ningún halcón a la vista.

PLANO DE MUNNY

Está justo detrás de ellos, mirando el cielo, y no ve ningún halcón. Se queda mirando a Ned como si pensase que está loco y frunce el entrecejo.

Kid mira hacia lo alto y guiña los ojos. Vuelve la mirada hacia el camino y sigue cabalgando.

KID.–También yo podría derribarlo, si no me importase desperdiciar una bala.

Munny vuelve a elevar los ojos al cielo, sorprendido. Deben de estar locos los dos.

Ned detiene en seco su caballo.

NED.–No hay ningún halcón allá arriba, Kid.

Kid tira de las riendas de su montura y se vuelve. Sostiene la mirada de Ned. Sabe que le han descubierto.

NED.–No puedes ver una mierda, ¿verdad?

Kid está furioso. Lanza una mirada vacilante alrededor, fija sus ojos en algo y saca el Schofield.

KID.–¿Ves esas jodidas tortugas?

PLANO DE TRES TORTUGAS

Avanzan por el lecho del arroyo a menos de diez metros.

PLANO DEL KID

Su Schofield escupe fuego y humo. BLAM, BLAM.

PLANO DE UNA TORTUGA

BLAM, la tercera tortuga revienta, siguiendo a sus dos compañeras por la senda del olvido.

PLANO DE LOS TRES HOMBRES

MUNNY *(impresionado)*.–Mierda.
NED *(también impresionado, pero disimulándolo)*.–¿A qué distancia puedes ver?
KID.–La suficiente.
NED.–En Nebraska no vamos a cazar tortugas. ¿Cien metros?
KID.–Más.
NED *(poniéndole a prueba)*.–¿Ves ese roble achaparrado de allá?
KID *(furioso)*.–Que te den por culo.
NED *(a Munny)*.–Está ciego, por Dios...
KID *(apunta a Ned con su pistola)*.–No estoy ciego, gilipollas.

MUNNY.–Vamos chicos, haya paz. Veamos, Kid, ¿ves bien a cincuenta metros?

KID.–Puedes apostar tus pelotas a que puedo ver a esa distancia y puedo pegarle un tiro a este hijo de puta.

MUNNY.–Tranquilo, Kid, tranquilo *(mirando fijamente a Ned)*. ¿Has oído eso, Ned? Kid ve sin problemas a cincuenta metros, ¿lo has oído?

NED *(entre dientes)*.–Santo Dios.

MUNNY.–Cincuenta metros no está nada mal *(contemplando el horizonte)*. Mejor será que sigamos adelante.

40. PLANO DEL CIELO -DIA

Las nubes de tormenta siguen acumulándose tras ellos en el horizonte.

41. INT. OFICINA DEL COMISARIO - PLANO CORTO DE UN LIBRO - NOCHE

La llamativa cubierta de El duque de la muerte de W.W. Beauchamp. SE ABRE EL PLANO. En la oficina del comisario, Little Bill está mirando la portada del libro con los pies apoyados encima de la mesa. Es de noche, y una lámpara de petróleo ilumina el lugar.

LITTLE BILL *(refiriéndose al libro)*.–Parece que esos chicos eran realmente duros. ¿Les mataste a los siete, Bob... o simplemente les sacudiste un poco?

English Bob está tumbado de espaldas en un jergón de una pequeña celda cercana. Vuelve la cabeza hacia Little Bill. Su rostro entumecido tiene un aspecto espantoso. Por supuesto, sólo responde con una mirada aviesa.

LITTLE BILL.–Eres tú, ¿verdad, Bob? ¿El pato de la muerte?

W.W. *(desafiante)*.–Es... Duque.

W.W. está encerrado con English Bob.

LITTLE BILL.–Ah, sí...duque. Bueno, Bob, tú siempre fuiste la de Dios con una pistola en la mano... pero siete... Y además mientras protegías a la dama. ¿Cómo lo hiciste?

English Bob se limita a dirigir su maligna mirada hacia otro lado, pero W.W. echa mano de todo su coraje y se hace oír... o al menos lo intenta.

> W.W.–Pues...resulta que... generalmente se considera... uh... recomendable en el negocio de los libros... ah... tomarse ciertas licencias... en... la escena de la portada... a efectos de... ah... las ventas.
>
> LITTLE BILL.–Bueno, Sr. Beauchamp, por lo que he leído de este libro, yo diría que el texto no es muy diferente de la portada.
>
> W.W. *(angustiado, pero con dignidad)*.–Puedo... puedo asegurarle, Sr. Daggett... que los sucesos descritos se basan en... testimonios de testigos presenciales y...
>
> LITTLE BILL *(abriendo el libro)*.–Supongo que se refiere al mismo pato.
>
> W.W.–Duque.
>
> LITTLE BILL *(ásperamente)*.–Eso he dicho, pato *(leyendo de mala manera)*. 'Ha ofendido el honor de esta hermosa mujer, Corcoran', dijo el pato. 'Debe disculparse'. Pero Corcoran Dos Pistolas hizo oídos sordos y, maldiciendo, echó mano a sus armas. Podría haberles matado, pero el pato fue más rápido y sus humeantes seis disparos escupieron plomo ardiente.'

Con expresión asqueada, arroja el libro sobre la mesa.

> W.W. *(muy digno)*.–Diría que se trata de una descripción muy ajustada de los hechos, señor... Si bien reconozco que en el lenguaje existe cierta poesía que...
>
> LITTLE BILL *(poniéndose en pie)*.–Verá, Sr. Beauchamp, yo estaba en el Blue Bottle Saloon de Wichita la noche en que English Bob mató a Corky Corcoran... y no le vi allí a usted... ni a ninguna mujer, ni a pistoleros con dos revólveres, ni nada parecido.
>
> W.W. *(sorprendido)*.–¿Estuvo usted allí?

W.W. mira a English Bob buscando confirmación pero Bob se limita a dirigirle una mirada aún más desagradable.

Sin embargo, Little Bill, que se encuentra ahora de pie ante la celda, empieza a entusiasmarse con el tema.

LITTLE BILL.–Para empezar... Corky no llevaba dos pistolas, aunque debería haberlo hecho.

W.W.–Pero le llamaban...

LITTLE BILL.–Algunos llamaban al viejo Corky 'Dos Pistolas', pero no porque llevase dos revólveres, sino porque tenía una polla tan grande que era más larga que el cañón del viejo Colt Walker que usaba. Y su única ofensa fue hincársela a cierta dama francesa de la que el viejo Bob se había encaprichado.... Total, que un día Corky llega al Blue Bottle y antes de que pudiese darse cuenta de lo que pasaba, Bob le dispara un tiro... y falla, porque está borracho como una cuba.

Fascinado, W.W. mira a Bob cuyos ojos echan chispas mientras se vuelve hacia Little Bill que ha empezado a representar la escena.

LITTLE BILL *(continúa)*.–Total, que la bala pasa silbando junto a Corky que, asustado, mete la pata. Saca el arma con tanta prisa que se vuela el pie. Estre tanto, Bob apunta bien y le dispara de nuevo... aunque está tan borracho que falla otra vez y le da al espejo de mil dólares que hay detrás de la barra del bar. Ahora el pato de la muerte se encuentra en un buen aprieto, porque Corky hace lo que hay que hacer y le encañona, sin prisas...

W.W. *(arrebatado).*–¿Y?

LITTLE BILL.–¡Bam! El Colt Walker le explotó en la mano... lo que era un fallo habitual de aquel modelo. Si Corky hubiese tenido realmente dos armas en lugar de una polla enorme, podría haberse defendido hasta el final.

W.W.–¿Quiere decir... que... *(mientras mira a Bob)* que English Bob le mató cuando...?

LITTLE BILL.–Bueno, tampoco iba a esperar a que a Corky le creciese una mano nueva. Se le acercó, y muy borracho, le disparó en el hígado.

W.W., estupefacto, mira primero a English Bob, y luego a Little Bill.

42. EXT. BOSQUE - NOCHE

Es de noche en el bosque y Ned rezonga mientras dispone sus mantas no muy lejos de la fogata.

NED *(irritable).*–No señor, no dejé de asaltar y robar porque me hiciera religioso. Lo dejé porque estaba ya demasiado viejo para tanta naturaleza.

Munny está acostado a poca distancia, cansado y sucio. No siente el menor interés por las quejas de Ned.

NED *(sigue con la perorata).*–Me retiré porque detesto dormir al raso... los palitos y los jodidos bichos en la comida... y las puñeteras piedras que se me clavan en la espalda... *(sin dejar de agitarse)* ...Mierda, cómo extraño mi jodida cama.

MUNNY *(irritado).*–Sí... ya lo dijiste anoche.

NED.–Anoche dije que echaba de menos a mi jodida mujer... hoy sólo echo de menos mi jodida cama.

Resplandor de relámpagos, un CABALLO RELINCHA y se escucha el FRAGOR Y ECO DE LOS TRUENOS.

MUNNY.–Bueno, al parecer dentro de nada echarás también de menos tu jodido tejado.

43. CABALLOS - NOCHE

Los caballos rebullen espantados. Kid frota con ternura la cara contra el hocico de su Morgan y le susurra con voz tranquilizadora.

44. EXT. CAMPAMENTO - NOCHE

Munny y Ned están acostados cerca de la hoguera mientras Kid se acerca caminando y empieza a preparar sus propias mantas.

Mira pensativo a Munny. Algo le intranquiliza. Finalmente, lo suelta mientras se envuelve entre sus mantas.

> KID.–Dígame, Bill. Aquel asunto de Jackson County... ¿ocurrió realmente? Quiero decir que si fue como cuentan.
> MUNNY.–¿Qué asunto?
> KID *(frunce el ceño, hace una pausa, y continúa)*.–Dicen que dos ayudantes del sheriff le apuntaban de cerca con sus rifles... que era como si estuviera muerto... y que entonces sacó una pistola y los frió a los dos... y que sólo sufrió un arañazo *(pausa)*. El tío Pete me dijo que nunca había visto nada parecido, el modo en que se las compuso para salir de una así.
> MUNNY *(incómodo)*.–Bueno... no lo recuerdo.
> KID *(con estupor y sospecha)*.–¡No lo recuerda!

Kid no sabe si es un desaire o qué. No sabe a qué atenerse hasta que compueba que su conversación con Munny no lleva a ninguna parte y decide probar suerte con Ned.

> KID *(sigue con lo suyo)*.–Diga, Ned...
> NED *(hosco)*.–Sí.
> KID.–¿A cuántos hombres ha matado? *(tras un largo silencio)*. ¿No va a contestarme?
> NED.–No me gusta la pregunta.
> KID *(indignado)*.–Tengo que saber con qué clase de tipos cabalgo, ¿no? Por si nos vemos en apuros.
> NED.–¿Cuántos has matado tú , Kid?
> KID.–Cinco. Me he cargado a cinco *(pausa)*. Incluyendo un mejicano que maté *(pausa)*. Se me echó encima con un cuchillo.

Se produce una larga pausa, rota por el resplandor de un rayo, el ECO de un TRUENO, y el NERVIOSO RELINCHAR de los CABALLOS.

> MUNNY.–Intenta dormir algo, Kid.
> KID.–Son los dos más picajosos que un par de gallinas.

Justo en ese momento EMPIEZA A LLOVER. El agua CHISPORROTEA en el FUEGO y los CABALLOS RESOPLAN. Ned se cubre la cabeza con las mantas.

> NED.–¡Oh, mierda!

45. INT. OFICINA DEL COMISARIO - NOCHE

> W.W.–O sea, que el señor Corcoran sacó más rápido que el du... que English Bob.

W.W. ha tomado asiento a la mesa de Little Bill. Escribe sin parar con una pluma de ave. Aún es de noche y Little Bill está recostado en una silla mientras en la celda English Bob gime y ronca.

> LITTLE BILL.–¿Más rápido? Ese fue su error. Si no se hubiese apresurado tanto no se habría volado el pie con el primer disparo y podría haberse cargado al viejo Bob (a modo de disertación). Verá, hijo, ser rápido y ser buen tirador no hace daño a nadie... pero lo que cuenta es ser frío.

Para demostrarlo, Little Bill saca con deliberación su pistola... no despacio, pero tampoco como lo haría un vaquero rápido estilo Hollywood.

> LITTLE BILL (sigue ilustrándole).–Un hombre que sea capaz de no perder la cabeza ni los nervios en un tiroteo... ése puede matarte como si tal cosa.

Little Bill extiende la pistola como para apuntar bien.

> W.W.–Pero si el otro individuo es más rápido y dispara primero...
> LITTLE BILL.–Se apresurará demasiado y fallará. Esto es lo más rápido que puedo desenfundar, apuntar y darle a algo que esté a más de tres metros... a menos que sea un granero.

W.W.–Pero... ¿y si no falla?
LITTLE BILL *(ríe mientras enfunda su pistola)*.–Entonces estás muerto. Por eso hay pocos hombres tan peligrosos como el viejo Bob... y como yo. No es tan fácil matar a un hombre, no crea... y si el hijo de puta te devuelve el fuego... bueno, eso es algo que desquicia a la mayoría de la gente *(de pronto se le ocurre algo)*. Mire, déjeme que le enseñe algo *(mete la mano en un cajón de su mesa y saca una pistola)*. ¿Ve esta pistola?

W.W. la mira intranquilo. En la celda English Bob abre un ojo y gira ligeramente la cabeza al percibir que algo ocurre.

Little Bill tiende la pistola a W.W.

LITTLE BILL *(continúa con la lección)*.–Cójala *(ante la indecisión de W.W.)*. Vamos, haga la prueba.

Con aprensión, W.W. acepta el arma como si quemara. Little Bill saca unas llaves del cajón y las tira sobre la mesa.

LITTLE BILL *(sigue hablando)*.–Ahí están las llaves. Todo lo que tiene que hacer es matarme y usted y English Bob podrán largarse libres como pájaros.
W.W. *(temblando)*.–¿Es... está... cargada?
LITTLE BILL.–No tendría gracia si no lo estuviera. Pero primero tiene que amartillarla.

W.W. traga saliva y lanza una mirada nerviosa hacia English Bob. Éste asiente con la cabeza 'Sí, sí, hazlo.'

LITTLE BILL *(continúa)*.–Y tiene que apuntar *(pausa)*. Vamos, apunte.

Muy despacio, con mano temblorosa, W.W. alza el arma y apunta con ella a Little Bill, que le contempla tranquilamente.

LITTLE BILL *(continúa)*.–Ahora sólo tiene que apretar el gatillo, amigo.

W.W. traga saliva mientras el sudor le cae por la frente. Apunta con la oscilante pistola mientras Bob le dice que sí con la cabeza. W.W. se muerte el labio y...

W.W. baja lentamente el arma. No puede hacerlo. Se seca la frente.

> LITTLE BILL *(continúa)*.–Es jodido, ¿verdad? *(hace ademán de quitarle la pistola)*. Ni siquiera llegó a poner el dedo en el gatillo.

Little Bill está a punto de arrebatarle el arma cuando W.W. tiene una idea sobrecogedora. En lugar de entregar la pistola retrocede con ella hacia la celda.

> W.W.–¿Y qué pasa si... si se la doy... a él?

Señala a Bob.

Los ojos de Little Bill se convierten en dos rendijas. Se palpa la tensión en el aire.

> LITTLE BILL.–Adelante... désela.

La mirada de English Bob se ilumina e intenta incorporarse apoyándose en un codo.

> W.W. *(tragando saliva)*.–¿De verdad? ¿En serio quiere que...?
> LITTLE BILL *(con voz gélida)*.–Désela.

English Bob ha conseguido sentarse y estira el brazo hacia el arma sin dejar de mirar a Little Bill. W.W. extiende una mano temblorosa y cuando la de English Bob roza la pistola....

Little Bill baja la mano derecha hasta su propia arma, agarra la culata y...

English Bob vacila con la vista clavada en Little Bill. Los dos hombres se miran a los ojos. En ese momento, English Bob retira lleno de furia su mano... vacía.

> LITTLE BILL *(sonríe con una mueca)*.–Parece que no la quiere, Sr. Beauchamp.

Little Bill quita la pistola al tembloroso W.W y sosteniendo la amenazadora mirada de English Bob, saca cinco cartuchos del tambor del arma.

> LITTLE BILL.–Hiciste bien en no cogerla, Bob. Podría haberte matado.

W.W. se deja caer exhausto en una silla y se enjuga el sudor de la frente.

> LITTLE BILL (FUERA DE CAMPO).–Nos vendrá bien un poco de lluvia, ¿eh, señor Beauchamp?

46. EXT. CAMPAMENTO - DIA

¡BARRRRROOM! TRUENOS, relámpagos, AGUACERO. La YEGUA albina se encabrita HISTÉRICA y Munny aterriza en el barro.

> MUNNY.–Maldita seas, jodida hija de puta, cerda cabrona ,cara de culo.

Ya se ha hecho de día, pero la lluvia es tan intensa que no se ve a dos metros. Munny se arrastra por el barro con un gabán encerado y un aspecto lastimoso. Ya está más que arrepentido de haberse dejado arrastrar por la cólera.

En medio de la lluvia aparece Ned a caballo. Lleva por la brida a la yegua de Munny, que intenta montar de nuevo.

> MUNNY.–No quería decir eso, vieja amiga.

La yegua se encabrita de nuevo, pero Ned la sujeta mientras ayuda a Munny cogiéndole por la culera de sus embarrados pantalones. Prácticamente le sube a la silla.

Muy por delante, apenas visible a través de la lluvia, Kid, impaciente, detiene su caballo.

> KID.–Vámonos.

47. EXT. CAMPO ABIERTO - DIA (ALGO MAS TARDE) (LLUEVE)

Ned y Munny cabalgan uno al lado del otro en medio del chaparrón.

Casi no se distingue a Kid, que va muchos metros por delante. Munny inspira auténtica lástima y Ned le observa con inquietud. Después de pensárselo, echa mano a las alforjas, saca una botella de whisky y se la ofrece.

NED.–Lo traje para cuando tuviésemos que matar a esos tipos *(mientras Munny mira la botella y aparta los ojos)*. Creo que nos vendría bien un poco ahora.
MUNNY.–A mí no. Ya no bebo.
NED *(exasperado)*.–Maldita sea, Bill, está lloviendo.
MUNNY.–Ya sé que está lloviendo *(mirando hacia adelante)*. Dale un trago a Kid, ¿vale?

Ned bebe un largo trago directamente de la botella, vuelve a ponerle el tapón y la guarda de nuevo en la alforja. Mira compasivamente a su desdichado amigo encogido sobre la silla.

NED.–¿Crees que Kid ha matado de verdad a cinco hombres?

Munny se limita a encogerse de hombros, vuelve a mirar hacia el camino y sigue cabalgando.

MUNNY *(al cabo de un rato)*.–No.
NED.–Eso que contó antes... lo de los ayudantes del comisario que cayeron sobre ti y Pete...
MUNNY.–¿Sí?
NED.–Recuerdo que fueron tres los ayudantes que te cargaste... no dos.
MUNNY *(restándole importancia)*.–Bueno, ya no soy así, Ned. Ya no soy un loco asesino chiflado.
NED *(tras una pausa)*.–¿Sigues pensando que será fácil matar a esos vaqueros?

Munny se encoge de hombros y mira hacia delante, hacia la lluvia. Los dos lo saben... por supuesto que no será fácil.

MUNNY.–Si no nos ahogamos antes.

48. EXT. CALLE PRINCIPAL - DIA

Hace un calor de mil demonios. La cara magullada de English Bob asoma del carruaje que está siendo cargado por Chandler. En la DISTANCIA SILBA entusiasta el TREN.

> LITTLE BILL *(a Chandler)*.–Entrégale las llaves al conductor y dile que puede quitarle las esposas a Bob en cuanto esté fuera del condado.

Little Bill está de pie al lado del carruaje. W.W. está a su lado y hay un puñado de mirones formando un semicírculo.

> ENGLISH BOB *(farfulla entre dientes)*.–Mmmm pistolas...
> LITTLE BILL.–Ah, sí.

Little Bill desenvuelve un trapo del que saca las pistolas con cachas de nácar... dobladas y destrozadas sin remedio. Se las entrega a Bob y mira su único y furioso ojo abierto

> LITTLE BILL *(sigue hablando)*.–Supongo que ya sabes, Bob, que si te vuelvo a ver te pegaré un tiro sin más y diré que ha sido en defensa propia.

A English Bob le parece estupendamente. Le devuelve la mirada. Ambos hombres se comprenden a la perfección. Entonces Chandler fustiga a los caballos y el carro echa a andar.

> LITTLE BILL (*sin dejar de hablar*).–No te he robado a tu biógrafo, Bob. Ha sido idea suya quedarse.

W.W., que se encuentra al lado de Little Bill, lanza a Bob una mirada despreciativa. English Bob le contempla con ferocidad mientras el coche se aleja.

49. EXT. CALLE PRINCIPAL - UN MOMENTO DESPUES

Mientras el carricoche AVANZA TRAQUETEANDO por la calle polvorienta, ENGLISH BOB asoma el rostro destrozado por la ventanilla y aúlla como un loco:

> ENGLISH BOB.–¡Que la peste caiga sobre vosotros! ¡Malditos seáis todos! ¡Sois unos gusanos, unas bestias sin civilizar! ¡No tenéis ni ley ni moral! ¡Sois peor que salvajes! ¡Yo os maldigo! ¡Malditos seáis! ¡Malditos!

Atónitas, las putas que se abanican en el porche del Greely's, observan el paso de English Bob, que sigue despotricando, hasta que desaparece. Todo lo que queda es el eco de su DESVARÍO EN LA DISTANCIA y una nube de polvo sobre la calle ardiente.

Sentada al lado de Faith, Alice se abanica con expresión sombría.

> ALICE.–No vendrá nadie.
> FAITH.–¿Eh?
> ALICE.–Después de lo que Little Bill le ha hecho al inglés.

Skinny sale por la puerta y parpadea ante la deslumbrante luz mientras se enjuga la cara.

> SKINNY.–Delilah, las mesas están sucias. ¿Es que no puedes limpiarlas?

Delilah se levanta y entra, rozando malhumorada a Skinny en el umbral de la puerta.

SKINNY *(continúa detrás de Delilah).*–Quizá si te cubrieses la cara alguien querría joder contigo y así no tendrías que ocuparte de hacer la limpieza *(a las demás).* ¿Cómo se llaman esas cosas que sirven para cubrirse la cara?
FAITH *(mirando directamente al frente).*–Velos.
SKINNY.–Eso es, un velo. Dios, qué calor hace.

Se escucha el RETUMBAR LEJANO de un TRUENO. Skinny contempla el horizonte hacia el sur donde se ciernen nubes de tormenta.

ALICE *(con indiferencia).*–Va a llover.
SKINNY *(con énfasis).*–Gracias a Dios.

50. EXT. VIAS DEL TREN - DIA

TRUENOS y relámpagos, y el TREN TRAQUETEANDO a través de la tormenta. Un nuevo resplandor permite ver a tres jinetes empapados cerca de las vías. Uno de ellos tiene problemas para controlar a un caballo blanco.

Se trata de Munny, claro está. Mientras intenta contener a la agitada yegua otro relámpago ilumina un vagón que pasa. Munny tiene una visión fugaz de un rostro extraño y machacado a través de una ventanilla.

Kid devuelve la botella de wisky a Ned y éste se la ofrece de nuevo a Munny.

NED.–¿Estás seguro, Bill?

Por toda respuesta, Munny sacude la cabeza y se retira el agua de los ojos.

51. EXT. SOUTH ROAD - NOCHE

Es de noche y LLUEVE. Kid, un poco borracho, ríe entre dientes y le pasa la botella a Ned, que la mira y le da un tiento. Cabalgan en la oscuridad a lo largo de South Road.

KID *(alegre).*–Te he dejado un poco... una gota.

Munny va hundido en la silla, tiembla y le castañetean los dientes.

NED.–¿Estás bien, Bill?

Munny no tiene buen aspecto. De hecho, está hecho una mierda... parece enfermo. No responde y Ned pone cara de preocupación. Apura las últimas gotas de la botella y la arroja al camino cerca del cartel con la prohibición. No es posible leer lo que pone porque está demasiado oscuro.

52. INT. HABITACION ALICE - NOCHE

El cuarto de Alice por la noche. Se escucha EL FUERTE GOLPETEO DE LA LLUVIA EN el TECHO. Alice está jugando a las cartas con Silky y Faith cuando Little Sue asoma la cabeza por la puerta.

> LITTLE SUE.–Hay un tipo que pregunta por ti, Alice.
> ALICE.–¿Esta noche? ¿Estás de guasa?
> LITTLE SUE *(mirando hacia atrás)*.–Por aquí, señor.

Silky y Faith recogen las cartas para marcharse.

> ALICE.–Tiene que estar más salido que un mono para venir con este tiempo.

Levantan la vista y en el quicio de la puerta aparece un joven empapado de mirada estrábica al que le faltan varios dientes. Va sin afeitar. Es Kid.

53. INT. CASA LITTLE BILL - NOCHE

PLOC, PLOC, PLOC. Un orinal en el suelo recoge el agua que cae de una gotera que hay en el tejado de la casa de Little Bill. Éste se pasea en calcetines mientras suelta una perorata.

> LITTLE BILL.–'No' contestó él, 'te equivocas, Little Bill. Eso de ahí no es una J curva. sino una J torcida'. Se lo tenía bien pensado, ¿comprende?

W.W. Beauchamp está sentado en una silla tomando notas frenéticamente con una pluma de ave... cuando una salpicadura de agua cae sobre el papel. Mira hacia lo alto y ve que ha aparecido una nueva gotera.

> LITTLE BILL *(sigue absorto en su historia)*.–'Jim', le respondí, 'eres un mentiroso y un cuatrero'. Entonces, cuando vio que los otros no pensaban ayudarle, se puso a llorar y a

gemir diciendo... *(haciendo una imitación)*. "No me mates, Little Bill, no me mates, por favor".

W.W. intenta seguir escribiendo y desplazarse al mismo tiempo para esquivar la gotera sin interrumpir a Little Bill, que está encantado con su propia narración, ignorante de la nueva gotera.

> LITTLE BILL *(con su propia voz)*.–"Vaya, Jim", le contesté, "me asquea ver a un hombre que va pavoneándose por ahí con dos pistolas y un rifle Henry gimoteando como un niño."
> W.W.–¿Le... le mató usted?
> LITTLE BILL.–No... pero no soporto a la gente así... y la hay a montones en las tabernas... vagabundos, conductores de carretas borrachos, mineros locos... armados con pistolas como si fuesen forajidos, pero no tienen valor ni carácter... ni siquiera mal carácter.
> W.W. está empezando a empaparse de verdad y mueve la silla.
> LITTLE BILL *(sigue en su propia longitud de onda)*.–No me gustan los asesinos ni los hombres de baja estofa como su amigo English Bob... aunque él no es un cobarde capaz de llorar delante de uno y luego...
> W.W.–Comisario... comisario...
> LITTLE BILL.–¿Sí? Oh *(mira tristemente hacia el techo)*. Otra, ¿eh? Mierda, me temo que ya no me quedan más cacharros.
> W.W. *(esforzándose por hacer una broma)*.–Tal vez debiera... colgar al carpintero.
> LITTLE BILL *(boquiabierto)*.–¿Cómo?
> W.W. *(inquieto)*.–Uh... colgar al... bueno... al carpintero. Yo...

De repente suenan FUERTES GOLPES en la puerta y Bill se dirige a ella.

> LITTLE BILL.–¿Con la noche que hace? ¿Qué diablos pasa?

Abre la puerta y aparece Charlie Hecker, que lleva puesto un impermeable y chorrea agua como una catarata.

CHARLEY.–Han llegado al pueblo tres tipos de aspecto zarrapastroso, Bill. Están en el Greely's y al menos dos de ellos van armados.

54. INT. BAR - PLANO CORTO DE UNA BOTELLA DE WHISKEY - NOCHE

Ned está virtiendo el ambarino líquido en un vaso. Munny parece hipnotizado por los deslumbrantes reflejos. LA CAMARA RETROCEDE. Los dos hombres están sentados a una mesa del bar de Greely, que está lleno de humo y mal iluminado. La LLUVIA bate sobre el tejado. En una mesa a tres metros, Joe Schultz el alemán, un granjero llamado Tom Luckinbill, Eggs Anderson, el dueño del restaurante local, y Paddy McGee el tonelero, juegan a las damas. Todos ellos lanzan de vez en cuando furtivas miradas a los forasteros, al igual que Fatty, que charla con Skinny en la barra.

NED.–¿Por qué diablos se retrasa tanto Kid? ¿Crees que...? *(contemplando a Munny)* ...Jesús, Bill, tienes un aspecto horrible.

Munny parece aturdido y sacude la cabeza para aclárarsela.

MUNNY.–¿Te... te acuerdas de Eagle Hendershot?
NED *(sorprendido)*.–¿Eh? Ah... sí.
MUNNY.–Le he visto.
NED.–Está muerto, Bill.
MUNNY.– Tenía la cabeza reventada y se le veían los sesos.
NED.–Dios santo, Bill, tienes fiebre. ¿Por qué no tomas un trago?
MUNNY *(ignorando a Ned)*.–Le salían gusanos de la cabeza.
NED *(levantándose)*.–Escucha, Bill. Voy a ver por qué tarda tanto Kid. Debe de estarles pidiendo un adelanto a esas señoritas.

Ned se dirige hacia el cuarto de atrás, pero se detiene y se vuelve.

NED.–Oye, Bill... si yo... si me entretuviera un poco... supongo que tú... ¿tú no querrás venir?

Munny niega con la cabeza y cuando Ned se va hacia los billares, Munny se queda contemplando con expresión vacua la botella de whiskey.

> LITTLE BILL (FUERA DE CUADRO).–...darme la pistola, señor?
> MUNNY *(levantando la vista con expresión de sorpresa)*.–¿Eh?

Un hombre grande con un impermeable chorreante está de pie a sólo tres metros... es Little Bill. Y le está mirando. Munny se da cuenta de que todo el mundo le mira.

> LITTLE BILL.–Le he dicho que tenga la amabilidad de entregarme su pistola.

Munny ve cómo Charley se desplaza lentamente a lo largo de la pared de la izquierda para tomar posiciones... y Fatty a la derecha, con Skinny junto a él... y W.W. está junto a la puerta, muy agitado. Los jugadores de damas están petrificados en sus asientos y Munny siente que todos... le observan a él.

> MUNNY.–No, no estoy borracho.
> LITTLE BILL *(casi cordialmente)*.–Las normas dicen que debe depositar sus armas de fuego a cualquier hora del día o de la noche en la oficina del comisario. Supongo que con este tiempo no habrán visto el cartel.
> MUNNY *(nervioso)*.–Bueno... no... yo... no llevo armas.
> LITTLE BILL *(ya sin la menor delicadeza)*.–¿Llevan pistolas sus amigos, los que están en la parte de atrás?
> MUNNY.–No... no sé... quiero decir que... supongo que no. No, no van armados.
> LITTLE BILL.–Está derramando el whiskey, señor.
> MUNNY.–Como le he dicho...
> LITTLE BILL.–¿Cómo se llama?
> MUNNY.–William...uh... Hendershot.

Little Sue, que observa tímidamente desde los 'billares', se muerde el labio y retrocede rápidamente.

> LITTLE BILL.–Bueno, señor Hendershot, si le llamase cabrón hijo de puta, y mentiroso, y le dijese que es usted

un cobarde de mierda que se caga en los pantalones... bien, supongo que entonces me enseñaría su pistola enseguida y me pegaría un tiro, ¿me equivoco?

MUNNY *(atrapado).–*Yo... supongo que lo haría... pero ya se le he dicho, no voy armado.

Little Bill desenfunda y apunta a Munny. Con un pequeño movimiento del cañón le indica a Munny que se levante. Munny se levanta.

Little Bill se acerca a él, extiende la mano izquierda y aparta el abrigo de Munny, dejando al descubierto la Starr que lleva en el cinturón.

LITTLE BILL.–Supongo que la lleva por las serpientes y cosas así.

MUNNY.–Sí... así es.

LITTLE BILL *(secamente).–*Aquí no hay serpientes, señor Hendershot.

MUNNY.–Bueno, verá... no está cargada.

Little Bill saca la pistola del cinturón de Munny y lenta y deliberadamente saca de ella cinco cartuchos. Mira a Munny, que suda copiosamente y sólo busca desesperadamente una salida.

MUNNY.–La pólvora está húmeda y...

¡Zumba! Little Bill golpea con el cañón de la pistola la sien de Munny. Brota la sangre y Munny cae de rodillas. Little Bill le patea violentamente . ¡Zump!

> LITTLE BILL *(se vuelve hacia W.W.)*.–Señor Beauchamp, ésta de aquí es la clase de basura de la que le hablaba.

Munny lucha por ponerse en pie y con paso vacilante se tambalea hasta la mesa. Coge la botella de whisky, la rompe y se vuelve medio atontado para hacer frente a Little Bill.

Little Bill, imperturbable, avanza sobre él. Munny le ataca desesperadamente con la botella, pero Little Bill bloquea el golpe con facilidad y le sacude con el cañón de la pistola. Munny vuelve a caer al suelo.

> LITTLE BILL *(dándole explicaciones a W.W.)*.–Encontrará a gente de esta calaña en los bares de sus prósperas comunidades.

¡Zump! , patea de nuevo a Munny.

> LITTLE BILL *(sigue con sus explicaciones)*.–Pero no encontrará a nadie así en Big Whiskey.

A gatas en el suelo, Munny intenta valerosamente alzarse.

55. INT. HABITACION DE ALICE - NOCHE

Ned empuja a Kid a través de la ventana de Alice. Ninguno de los dos está completamente vestido, pero aún así Ned presiona frenéticamente al otro hacia la lluviosa noche. Alice les apura y Little Sue parece a punto de orinarse encima.

> ALICE *(a Ned)*.–Date prisa *(a Little Sue)*. ¿Sabes lo que tienes que decirle a Little Bill?

Little Sue afirma con la cabeza porque está muda de terror. Alice le pasa las botas a Ned a través de la ventana.

56. EXT. VENTANA DEL CUARTO DE ALICE - NOCHE

Al otro lado de la ventana es de noche y cae la lluvia. Ned y Kid intentan terminar de vestirse en medio del barro. Alice asoma la cabeza por la ventana.

> ALICE.–Estad pendientes de encontrar el viejo roble. Si os pasáis el roble no lo encontraréis.
> NED *(al Kid)*.–Olvídate de la camisa, ponte las botas.

Ned intenta calzarse las suyas y cae de culo en el barro.

ALICE.–El tejado no es gran cosa, pero...
KID.–¿Qué hay de Bill? ¿Qué hacemos con...?
NED.–Vamos, Kid. Espero que aún sigan allí los caballos.

57. INT. BAR - NOCHE

Cubierto de sangre, Munny se arrastra por el suelo del bar en dirección a la puerta.

> LITTLE BILL.–Deje salir a ese hombre, W.W. Está deseando dejar a sus espaldas la hospitalidad de Big Whiskey.

Mientras Munny se desliza junto a las piernas de W.W., que mira hacia la miserable criatura semiinconsciente y ve claramente cómo su mano izquierda, con sólo tres dedos, lucha por no resbalar. W.W. se acerca a la puerta y la abre. Munny sale a rastras a la oscuridad de la noche y la lluvia.

58. INT. HABITACION DE ALICE - NOCHE

¡Plaf! Alice recibe en plena cara la enorme mano de Little Big.

> SKINNY.–Tranquilo, Little Bill, tiene que trabajar. Tiene que ganarse un dólar de vez en cuando.

Little Bill contempla a Skinny. En el cuarto de Alice están además Charley, Little Sue y W.W. Está bastante atestado.

> LITTLE BILL *(a Alice)*.–¿Si vinieron a joder cómo es que escaparon por la ventana de atrás?
> ALICE *(desafiante)*.–Porque vieron cómo le pegabas a su amigo.
> LITTLE SUE *(con valentía)*.–So... solamente vi... vinieron por el bi... billar. De verdad, Little Bill.
> LITTLE BILL *(bufando)*.–¡Por el billar! *(a Little Sue)*. ¿Así que estaban de paso?
> LITTLE SUE.–Se... se dirigían...a... a Fo... Fort Buford a...
> ALICE *(molesta)*.–Le has pegado una paliza a un hombre inocente, estúpido cabrón.
> LITTLE BILL.–¿Inocente de qué?

59. EXT. EXTREMO SUR DEL PUEBLO - NOCHE

Es de noche y cae la LLUVIA. En el extremo sur del pueblo la yegua albina camina a la deriva con Munny balanceándose sobre la silla. Dos jinetes surgen de entre las sombras de los edificios. Son Kid y Ned, que llegan junto a Munny. Se colocan cada uno a un lado de él y Ned le levanta la cabeza y observa su cara machacada. Da un respingo y sus ojos dicen lo que Kid expresa en voz alta.

KID.–Santo Dios. Santo Dios.

60. INT. COBERTIZO - NOCHE

Ned y Kid a la luz de una vela. Ned le está cosiendo la cara a Munny con hilo y aguja.

NED.–Maldita sea, sujétale.

Están en una especie de cobertizo lleno de paja y han colocado una vela sobre una tabla.

KID *(con el estómago revuelto)*.–Dios *(tras una pausa)*. ¿Habías hecho esto antes?
NED *(que sigue cosiendo)*. Muchas veces.

Munny está semiconsciente y Kid le sujeta la cabeza.

KID.–Se le debió encasquillar la pistola.
NED.–Acerca la vela, no veo nada.
KID.–No le habrían dado una paliza así si no se le hubiese encasquillado. No la habría entregado sin dispararle a alguien.

61. INT. COBERTIZO - DIA

Ya hay luz en el cobertizo y se ve la cara de Munny. La tiene amarillenta como la cera, llena de toscas puntadas. Tiene los ojos horriblemente hinchados e inexpresivos y respira pesadamente.

Yace en la paja y Kid, a medio vestir, le contempla con desagrado.

KID.–No tiene buen aspecto.

Ahora el sonido de la LLUVIA es diferente. Aún cae, pero la tormenta ya ha pasado. El cobertizo no es un buen refugio porque una de las paredes y parte del tejado se han hundido. Desde dentro se ve claramente el bosque.

Silky está sentada en la paja arreglándose la ropa y Ned y Alice salen de un rincón también a medio vestir.

KID *(a Alice)*.–¿Y ni siquiera sacó la pistola?

NED *(irritado)*.–No es tan duro como tú, Kid.

KID.–Bueno, creo que yo al menos habría sacado la pistola y...

NED.–¡Mierda, Kid, bien que sacaste la pistola ..! La sacaste de esta señorita y saliste por la ventana de atrás de su cuarto.

KID.–Eso fue idea tuya, yo quería...

SILKY *(poniéndose en pie y alisándose la ropa)*. Tenemos que irnos.

KID.–¿Eh? ¿Ya? Casi estoy listo para otro adelanto.

SILKY.–Vas a cobrarlo todo antes de ganártelo.

ALICE *(a punto de marcharse)*.–No habrá más adelantos por un trabajo que aún no habéis hecho.

KID.–Bueno, estamos esperando a que cambie el tiempo. Si mañana mejora, podríamos...

NED *(a Alice)*.–Necesitaremos más comida... al menos para tres días.

KID.–¿Tres días? Podemos matarles mañana.

NED *(dirige una mirada cortante al Kid)*.–No pienso matar a a nadie sin él.

Señala a Munny.

KID *(frustrado)*.–No le necesitamos. Podemos hacerlo los dos solos.

Los caballos están medio guarecidos bajo el tejado roto. Alice y Silky sacan los suyos. Nadie presta la menor atención a Kid.

KID *(continúa hablando con petulancia)*.–No es más que un decrépito criador de cerdos.

ALICE *(a Ned, mientras sube al caballo).*–Una de nosotras traerá comida por la mañana. Supongo que querréis algo de whisky.

NED.–Y algunas medicinas si puede ser...

Kid se dirige al borde de la pared derrumbada. En la otra esquina Munny gime con fuerza y luego aúlla.

MUNNY.–Ohhh, ohhh no. No, no he hecho nada.

Ned se acerca rápidamente a Munny y Kid se queda solo con las dos putas, que están ya montadas. El chico está violento.

KID.–¿No es para ponerse malo oírle decir esas cosas? *(mientras las putas dan la vuelta a sus caballos).* No se preocupen, señoritas... yo y Ned nos ocuparemos de esos dos cabrones.

Kid ha sacado unos pedazos de papel que las putas les han dado antes. Son dos dibujos al carboncillo, uno de Davey Bunting y el otro de Quick Mike. Ambos guardan gran parecido.

62. INT. COBERTIZO - PLANO CORTO DE UNA LINTERNA - NOCHE

Nuevamente es de noche. Una linterna cuelga de una viga del cobertizo. Aunque ha dejado de llover, se puede escuchar el AGUA GOTEANDO desde el alero. SE ABRE EL PLANO.

KID.–Todo lo que me contó mi tío no eran más que mierdas, ¿verdad?

Ned y el Kid están jugando a las cartas en el suelo cubierto de paja. Ned no levanta la vista de sus cartas.

NED.–Depende de lo que te contase *(pausa).* ¿Te refieres a Bill?

KID.–A todo. Me refiero a él, y a ti y al tío Pete... lo del asalto al Rock Island Pacific... y lo de los bancos de Missouri..

NED.–Hicimos todo eso.

KID.– Pues yo creo que Bill Munny no era ningún temible asesino y ladrón de bancos como él decía.

SE OYE un GEMIDO en la otra esquina de la habitación. Los dos hombres miran a Munny y luego otra vez a sus cartas.

NED.–A lo mejor esto no significa nada para ti, pero el tejado que yo construí para mi casa no tiene una sola gotera... ni una *(Kid le mira perplejo)*. Mucha gente piensa que una escuela es el principal signo de civilización... pero yo digo que es un tejado bien hecho.

Esto consigue dejar anonadado a Kid. Estar ahí varado con dos asaltantes de trenes chapuceros y ahora esa mierda sobre los tejados... Se queda mirando a Ned, asombrado.

MUNNY.–Claudia... No... Oh, Dios mío. Claudia, oh...

Ned se levanta, lleva la luz hasta donde se encuentra Munny tumbado y se arrodilla a su lado. Munny tiene un aspecto espantoso, parece estar a las puertas de la muerte.

NED.–Claudia... no está aquí, Bill.

MUNNY *(extendiendo la mano)*.–Ned... ¿Eres tú, Ned? *(cogiendo el brazo de Ned)*. Ned, he visto... a la muerte.

NED.–Tranquilo, Bill.

MUNNY.–He visto al ángel de la muerte, Ned, y he visto el río *(lleno de pánico)*. Es una serpiente, tiene... ojos de serpiente.

NED.–¿Quién, Bill? ¿Quién tiene ojos de serpiente?

MUNNY.–El ángel... el ángel de la muerte. Estoy asustado, Ned. Ned, voy a morirme.

NED.–Tranquilo, Bill, tranquilo.

Kid se ha acercado a mirar. Está fascinado y horrorizado. Observa a Munny y traga saliva.

MUNNY.–La he visto... También he visto a Claudia...

NED *(tranquilizándole)*.–Vaya, pues eso es bueno, ¿no,

Bill? Ver a Claudia y...

MUNNY.–Estaba cubierta de gusanos. Oh, Ned, tengo miedo de morir...

Kid no puede soportarlo más y se marcha. Ned intenta reconfortar a Munny, que le agarra y le obliga a acercarse más.

MUNNY.–Ned... no se lo digas a nadie... No se lo cuentes a los niños... no les digas nada... nada de lo que hice.

Los ojos de Ned se llenan de lágrimas. Los de Munny miran fijamente algo horrible y nosotros vemos...

63. EXT. CALLE - DIA

Una visión a la luz del día. Un caballo terriblemente ensangrentado relincha agonizante en silencio. El único sonido que se oye es el de la noche, el cobertizo y la LLUVIA CAYENDO, aunque nada de esto palía la agonía del animal mientras el látigo cae sobre su cabeza y sus ojos. Vemos a un hombre joven que le azota despiadadamente con un látigo. Es Munny, quince años más joven. Es una escena increíblemente cruel y perversa... porque así es como él era y eso es lo que recuerda.

64 .INT. COBERTIZO - NOCHE

Se ha hecho de noche y una débil luz de luna entra por la pared abierta del cobertizo. La linterna está apagada y se escucha el sonido de la dificultosa respiración de Munny. Ned y el Kid están envueltos en sus mantas.

KID.–Va a morir, ¿no?
NED.–Puede ser.
KID.–Bueno, ¿y si lo hace?
NED *(tras una pausa)*.–Le enterraremos.
KID.–No me refiero a eso.
NED.–¿Quieres saber si te voy a ayudar a matar a esos vaqueros?
KID.–Yo no puedo hacerlo solo, pero tú sí. Apuesto a que podrías distinguir a ése del pelo rojo a más de quinientos metros.
NED.–¿Y si les veo?

KID.–¡Me acercaré a caballo y les pegaré un tiro!
NED.–¿Así de fácil?
KID.–Ya te he dicho que soy un maldito pistolero. Lo he hecho otras veces.
NED.–¿Sí?
KID.–Mierda, sí.

65. INT. COBERTIZO - DIA

Luz del día sobre la cara rajada de la puta. Delilah está inclinada sobre Munny, limpiándole la frente. Él está tumbado en la paja, mirándola, y tiene un aspecto horrible. Su rostro está espantosamente pálido y sin afeitar, cubierto de horrorosos cortes y costurones mal cosidos... pero sus ojos están claros.

MUNNY.–Creí que... que era un ángel.
DELILAH *(se levanta sorprendida)*.–No está usted muerto.

Delilah va hasta donde está su caballo y coge algunas cosas de las alforjas. Munny, torpemente, intenta sentarse.

MUNNY.–Un tipo enorme me dió una paliza de muerte *(palpándose la cara dolorida)*. Supongo que debo tener un aspecto muy parecido al de usted, ¿verdad?

DELILAH *(molesta, herida).*–No nos parecemos en nada, señor.
MUNNY.–No pretendía ofenderla.

Ella no contesta.

MUNNY.–Usted debe ser la muchacha que rajaron esos vaqueros.

Tampoco esta vez hay respuesta.

MUNNY.–Ned y Kid, mis compañeros, ¿están...?
DELILAH *(con frialdad).*–Salieron de exploración cuando vieron que le bajaba la fiebre.
MUNNY.–¿De exploración?
DELILAH.–Al Bar T... a buscar... a esos.
MUNNY.–Ya. ¿Cuánto tiempo llevo aquí?
DELILAH *(aún con tono seco).*–Tres días. ¿Tiene hambre?
MUNNY.–¿Tres días? Debería tenerla.

66. EXT. BOSQUE CERCA DEL COBERTIZO - PLANO CORTO DE UNOS PETIRROJOS - DIA

MOVIMIENTO DE CAMARA HACIA ATRAS. Hay cuatro petirrojos en un árbol cerca del cobertizo. Munny los observa desde donde está sentado comiendo pollo con un hambre de lobo. Está apoyado en la pared de la cabaña y Delilah le mira mientras come.

MUNNY.–Creí que de ésta me moría. ¿Ha visto los pájaros? La mayoría de las veces ni siquiera me hubiera fijado en ellos. Pero ahora los veo como si fuese la primera vez, porque pensé que estaba muerto.
DELILAH.– Le he traído su sombrero. Se lo... dejó en el Greely's.
MUNNY.–El tipo ese grande... ¿me está buscando?

Se vuelve para mirarla y sus ojos se detienen brevemente en el tobillo descubierto de ella. Delilah siente la mirada.

DELILAH.–¿Little Bill? Cree que se ha ido usted al norte.

Munny no puede evitar que sus ojos se deslicen de nuevo hacia el tobillo de ella.

DELILAH.–¿De verdad va usted a matarlos?
MUNNY *(sin el menor entusiasmo)*.–Supongo que sí *(súbitamente)*. Sigue habiendo una recompensa, ¿no?

Ella asiente con la cabeza y se mueve para mostrar un poco más de tobillo, pero él fija la mirada en sus pechos. Munny retira rápidamente la vista, sintiéndose culpable. Permanecen sentados en silencio hasta que...

DELILAH.–Los otros dos... han cobrado algunos adelantos sobre el dinero.
MUNNY.–¿Adelantos?

No puede dejar de mirar su cuerpo, y ella lo sabe.

DELILAH *(tímidamente)*.–Polvos gratis.

Su cuerpo se acerca al de él.

MUNNY *(con gesto estúpido)*.–¿Polvos gratis?
DELILAH.–Alice y Silky lo hicieron con ellos... gratis.
MUNNY *(avergonzado al comprender de qué le habla)*.–Oh. Ya.
DELILAH *(tímidamente)*.–¿Le apetece... uno?
MUNNY *(retira la vista, turbado)*.–¿Yo? No, creo que no.

Delilah se siente herida... hundida. Se pone de pie y disimula su embarazo recogiendo los restos de la comida. Munny también se siente incómodo al mirarla.

DELILAH *(ocultando su dolor)*.–No me refería... a hacerlo conmigo. Alice y Silky pueden hacerlo... si usted quiere.
MUNNY.–Yo... creo que no *(de pronto reacciona con inusual perspicacia)*. No pretendía decir que no quisiese porque tenga usted la cara rajada. No quería decir eso.

Delilah continúa dándole la espalda.

MUNNY *(sigue intentando levantarse).*–No es eso en absoluto. Es usted una mujer preciosa. Lo que dije antes... que debíamos parecernos... no me refería a que estuviese horrible, como yo. Diablos, no... Sólo quería decir que los dos tenemos cicatrices.

Se yergue vacilante, apoyado contra la pared, y sus palabras suenan tan sinceras que Delilah quiere creerlas.

MUNNY.–Es usted una mujer muy bonita y... si yo estuviese libre, creo que la preferiría a usted antes que a las otras. Es que... Verá... no puedo hacerlo debido a mi esposa...
DELILAH.–¿Su esposa?
MUNNY.–Sí. ¿Comprende ahora?
DELILAH *(tras una pausa).*–Me admira que sea usted sincero con su mujer. He conocido a muchos... a muchos hombres... que no lo eran.
MUNNY *(complacido y turbado).*–Ya, supongo que así es.
DELILAH.–¿Está ella en Kansas?
MUNNY.–Pues... sí. Sí, ella está... cuidando de los pequeños.

Munny la obsequia con lo que para él es su mejor sonrisa... algo que recuerda la expresión de un cerdo ahogándose.

67. EXT. DESFILADERO - PLANO DE UNA RES QUE BERREA Y UN HIERRO AL ROJO VIVO - DIA

Saliendo del fuego.

Es mediodía y los cuatro vaqueros, TEXAS SLIM, JOHNNY FOLEY, LIPPY MacGREGOR y Davey Bunting están marcando reses perdidas. Johnny mantiene al ternero en el suelo listo para marcarlo, pero el animal se suelta y derriba a Johnny sobre el fuego. Los otros tres vaqueros se ríen a carcajadas, mientras en sus rostros sudorosos se refleja la camaradería propia de los hombres que trabajan duro y que al final del día tal vez se sientan irritables, pero aún no. Entonces, como un rayo, riéndose aún, Davey sube a su pinto y sale galopando como alma que lleva el diablo detrás del becerro. Es un bonito espéctaculo: él y su pinto son como un único animal.

¡CRACK! Suena un DISPARO DE RIFLE y con una violenta voltereta, el caballo derriba a Davey, que cae al suelo en medio de una nube de polvo a cincuenta metros de distancia. Texas Slim, Lippy y Johnny se quedan paralizados por el horror.

El caballo derribado sangra a borbotones por los ollares y la pierna derecha de Davey ha quedado atrapada bajo el costado del pinto moribundo. Están a unos quince metros del borde del desfiladero y el primer pensamiento de Davey es para el pinto.

> DAVEY.–Oh Dios, amigo... *(gritando)*. Chicos, mi caballo está herido...

Se vuelve y ve a los tres vaqueros de pie a unos cincuenta metros de distancia, totalmente inmóviles en su sitio.

> DAVEY *(continúa)*.–Muchachos...

Ellos se vuelven y echan a correr precipitadamente hacia unas rocas. Sólo entonces el terror se refleja en la cara de Davey, que con un repentino ataque de pánico intenta liberarse del caballo.

> DAVEY.–Jesús, amigos, tengo la pierna rota. Estoy atrapado.

68. EXT. ROCAS - PLANO DE NED - DIA

Con la cara cubierta de sudor y su Spencer contra la mejilla, Ned está oculto entre unas rocas de la parte alta de la pared del cañón, a unos trescientos metros de Davey. Munny mira por encima del hombro de Ned. Kid intenta también desesperadamente ver algo, pero no es capaz de distinguir una mierda.

> MUNNY.–Termina con él, Ned.
> KID.–¿No está muerto? ¿No le has dado?
> MUNNY *(a Kid, sin volverse)*.–Le ha dado al caballo.

Siguiendo la dirección del cañón del rifle, Ned ve cómo Davey lucha frenéticamente por liberar su pierna del caballo. Es un disparo fácil. Ned suda copiosamente y le tiemblan las manos. Oye la voz de Munny.

> MUNNY (FUERA DE CUADRO).–Mejor será que le dispares antes de que consiga librarse del caballo, Ned.

Tembloroso, Ned DISPARA. CRACK.

69. EXT. DESFILADERO - PLANO DE DAVEY - DIA

El disparo hace saltar el polvo a treinta centímetros de Davey. El terror le da fuerzas para sacar la pierna de debajo del caballo.

> JOHNNY (FUERA DE CUADRO).–¡Cabrones asesinos! ¡Malditos cerdos hijos de puta!

70. EXT. ROCAS - DIA

Munny, Ned y Kid. Ned está temblando.

> KID.–¿Le has matado?
> MUNNY.–Ha conseguido librarse del caballo, Ned. Será mejor que le pegues un tiro.

71. EXT. DESFILADERO - PLANO DE DAVEY - DIA

Intenta alejarse a rastras del animal, pero tiene la pierna rota y le resulta difícil. Mira hacia el lugar donde están escondidos sus amigos, a unos sesenta metros.

> TEXAS SLIM (FUERA DE CUADRO) *(desde detrás de una roca).*–Detrás de ti, Davey. Ve hacia las rocas que tienes detrás.

Davey se vuelve y descubre un par de piedras grandes, donde puede resguardarse, a unos quince metros de distancia.

72. EXT. ROCAS - DIA

Ned sigue temblando mientras apunta.

> KID.–¿Qué pasa? ¿No está muerto? ¿Qué está ocurriendo?
> MUNNY *(a Ned).*–Si llega a esas piedras, no conseguiremos rematarle... no sin bajar hasta allí.
> KID.–¿Qué piedras? ¿Por qué no disparas? ¿Qué pasa ahora?
> JOHNNY (FUERA DE CUADRO).–¡Jodidos maricones cobardes!

Fijando su mirada a lo largo del cañón del rifle, Ned observa cómo Davey gatea hacia las rocas. Es un blanco fácil pero no puede hacerlo. Mira a Munny y la agonía que se refleja en sus ojos lo dice todo.

> KID.–¿Es que no vas a dispararle? ¿Ya está muerto?

Munny le arrebata el rifle y Ned se hace a un lado, dejándose caer contra una roca. Munny apunta.

> MUNNY.–No es un disparo tan difícil.

73. EXT. DESFILADERO - DIA

Davey sigue avanzando y ¡CRACK! Un surtidor de polvo estalla a unos tres metros. Aún le faltan casi diez metros para llegar a las rocas y reptar es una verdadera agonía.

> LIPPY (FUERA DE CUADRO).–Ánimo Davey.

¡CRACK! La tierra salta a un metro de la cabeza de Davey.

74. EXT. ROCAS - DIA

Munny tiene el rifle apoyado en la mejilla y Kid se inclina frenético por encima de su hombro intentado ver algo.

> MUNNY.–¡Mierda!
> KID.–¿Qué sucede? ¿Le has dado?

¡BANG! ¡BANG! ¡BANG! DISPAROS de PISTOLA desde abajo. Las BALAS REBOTAN inútilmente entre las rocas.

> KID.–Nos están disparando.
> JOHNNY (FUERA DE CUADRO).–Os vamos a matar, cabrones.

Munny apunta de nuevo en dirección a Davey, al que ya le queda menos para ponerse a salvo. ¡CRACK! Munny DISPARA y ve cómo la tierra sale despedida cerca de Davey.

> LIPPY (FUERA DE CUADRO).–Malditos emboscados... apestosos y jodidos cobardes.
> KID.–¿Le has dado? ¿Dónde está?

75. EXT. DESFILADERO - DIA

Davey gatea frenéticamente y ¡CRACK!... El polvo salta a sólo unos centímetros de su cabeza. Se arrastra como loco. Le falta un metro para ponerse a salvo.

76. EXT. ROCAS - PLANO CORTO DE MUNNY - DIA

Munny está sudando.

> MUNNY.–¿Cuántos tiros me quedan, Ned?

Ned está sentado sumido en una especie de estupor, con la mirada perdida. BANG, BANG, BANG. Las BALAS REBOTAN de nuevo en las rocas.

MUNNY *(mientras apunta)*.–Maldita sea, ¿cuántos quedan?
NED.–Dos.

Munny apunta hacia abajo con el rifle y ve desaparecer la cabeza de Davey detrás de una piedra. CRACK, DISPARA de nuevo.

KID.–¿Le has matado?

BANG, BANG, BANG, DISPAROS de PISTOLA.

TEXAS SLIM (FUERA DE CUADRO).–Sigue, Davey.

Munny amartilla el rifle y apunta para disparar su último tiro. Ve las piernas de Davey, inmóviles, que asoman entre las rocas.

KID.–Por Dios... cuéntame...
JOHNNY (FUERA DE CUADRO).–...Bastardos asesinos....
LIPPY (FUERA DE CUADRO.–...Jodidos criminales...

CRACK, Munny HACE FUEGO.

77. EXT. DESFILADERO - PLANO DEL SURTIDOR DE POLVO PRODUCIDO POR EL DISPARO - DIA

Mientras las piernas de Davey desaparecen detrás de la roca se escucha un GEMIDO GRAVE.

78. EXT. ROCAS - PLANO DE MUNNY - DIA

Apoyado en una roca, agotado y empapado de sudor, Munny pasa el rifle a Kid.

MUNNY.–Será mejor que lo recargues.
KID.–¿Has fallado? ¿No le has...?
MUNNY.–Le he dado.
DAVEY (FUERA DE CUADRO) *(asustado, herido)*.–Dios mío chicos, estoy herido... Me han dado...
TEXAS SLIM (FUERA DE CUADRO).–Malditos cobardes... pistoleros de mierda.

KID *(agitado)*.–No está muerto.

MUNNY *(abatido)*.–Puede que sí, o puede que no. Creo que le acerté en las tripas.

79. EXT. DESFILADERO - DIA

Davey está tumbado detrás de la roca. La parte delantera de su cuerpo está empapada de sangre, roja y brillante. El sol cae a plomo.

DAVEY.–Dios... estoy herido... estoy herido. Me han disparado...

80. EXT. ROCAS - DIA

Munny está sentado con la espalda apoyada contra la roca, con gesto inexpresivo. Exactamente igual que Ned...

KID *(burlonamente)*.–Esos gilipollas no pueden alcanzarnos aquí arriba. No hacen más que desperdiciar munición.

Parece que los vaqueros se han dado cuenta, porque han dejado de disparar. Se escuchan los QUEJIDOS de Davey. Ned y Munny permanecen sentados, sudando. Kid, agitado, se pasea arriba y abajo.

KID *(sigue hablando solo)*.–¿Creéis que morirá? ¿Le hemos matado?

Ned y Munny intercambian una mirada.

DAVEY (FUERA DE CUADRO).–Ayudadme muchachos, ayudadme...

MUNNY *(con voz neutra)*.–Sí... creo que le hemos matado.

DAVEY (FUERA DE CUADRO).–Oh, Dios... Ayudadme chicos, no quiero morir... no quiero morir.

KID *(descompuesto, grita)*.–No debías haber rajado a una mujer, cabrón.

81. EXT. DESFILADERO - DIA

Davey sigue tumbado detrás de las rocas, empapado de sangre, mirando el deslumbrante sol de mediodía.

> DAVEY *(gritando)*.–Me estoy muriendo, amigos.

Después de una pausa, continúa con un tono de voz normal, como si hablase consigo mismo, para expresar su sorpresa, para comprobar que todo está pasando en realidad.

> DAVEY *(sigue hablando para sí)*.–Me muero *(tras una pausa)*. Me estoy muriendo *(aullando, en un arrebato de pánico)*. ¡Chicos, me muero!

82. EXT. ROCAS - DIA

Munny suda y mira hacia el sol. Ned sigue teniendo la mirada perdida.

> DAVEY (FUERA DE CUADRO).–Tengo sed, Slim. Dios mío, estoy sediento *(pausa)*. ¿Slim? Dame algo de beber. Algo de beber, Slim... Me estoy muriendo, Slim... *(pausa)*. Amigos, dadme algo de beber.

Los tres empiezan a sentirse afectados. Munny mira hacia el sol. Ned se pone en pie, se aleja hasta otra roca y vomita.

> DAVEY (FUERA DE CUADRO).–Un trago... Por favor, muchachos... Sólo quiero un t...
> MUNNY *(se levanta de un salto y vocea)*.–¡Dadle agua de una puta vez, cabrones!

ROCAS

No pasa nada. No hay forma de saber si los vaqueros siguen detrás de las rocas, o no.

> DAVEY (FUERA DE CUADRO).–Por favor, amigos... Me han dado en las tripas... Me estoy desangrando... Traedme...
> MUNNY *(aullando)*.–¡Por Dios bendito, llevadle algo de beber de una jodida vez! No vamos a dispararos.

Ora pausa. Munny mira hacia las rocas donde están ocultos los vaqueros.

TEXAS SLIM (FUERA DE CUADRO) *(desde detrás de una piedra)*.–¿No vais a disparar?
MUNNY.–No.

Al cabo de un momento, Munny ve a Texas Slim, que asoma por detrás de las rocas y echa a correr hacia el lugar donde ha caído Davey. Lleva con él una cantimplora.

JOHNNY (FUERA DE CUADRO).–No le disparéis, cobardes.

Kid intenta ver algo, aunque por supuesto no lo consigue.

KID.–¿Le llevan agua?
MUNNY.–Sí.

Munny sigue observando y ve cómo Texas Slim desaparece detrás de las piedras donde se encuentra Davey. Se produce un nuevo silencio... hasta que resuena una voz, un grito de dolor y de angustia...

TEXAS SLIM (FUERA DE CUADRO) *(desde detrás de las rocas)*.–Oh, Dios. Le han matado, Johnny... Le han volado las tripas... Dios mío, han asesinado a Davey... Asesinos, hijos de puta, han matado a Davey...

Kid escupe en el polvo y Ned se limpia el sudor de la frente con su bandana. Munny remueve el polvo con la bota.

83. EXT. COLINA - DIA

CASCOS sobre una ROCA PLANA. Los tres jinetes, Munny, Ned y Kid avanzan con sus caballos al trote sobre un terreno llano y rocoso próximo a una colina. Van silenciosos, sombríos, hasta que...

KID.–¿Cuándo volvemos a por el otro?
MUNNY.–Pronto.
NED *(sin mirarles)*.–Yo no.

Munny levanta la vista bruscamente, pero Ned mantiene la mirada fija hacia delante.

NED.–Me vuelvo a Kansas.
MUNNY.–Antes tenemos que matar al otro.

Ned no contesta.

MUNNY.–Mierda, Ned, con un poco de suerte podríamos matarle esta noche... o quizá mañana por la mañana. Después podremos regresar los tres con el dinero.

Ned detiene su caballo. Munny tira también de las riendas y al momento Kid hace lo mismo.

NED *(mirando a Munny a los ojos).*–¿Quieres el Spencer, Bill?

Saca el rifle.

MUNNY *(sin convicción).*–Mierda, Ned, no es momento para abandonar.
KID.–Perderás tu parte. Si no....
MUNNY.–Cierra el pico, Kid.

Ned se limita a tenderle el rifle. Un momento después, Munny lo coge. Ned saca una caja de cartuchos de su bolsillo y se la pasa.

NED.–Hasta la vista, Bill. Adiós, Kid.

Da la vuelta a su caballo y echa a trotar por el campo abierto. Munny le observa hasta que se encuentra a unos cincuenta metros.

MUNNY *(gritando)*.–Espera, Ned.

Ned detiene el caballo. Munny galopa hasta él y le devuelve el Spencer y la munición.

MUNNY.–No creo que me sirva para nada.

Ned coge el rifle, vuelve a meterlo en su funda, y con un lacónico gesto de asentimiento da la vuelta para marcharse.

MUNNY.–Kid y yo iremos al rancho y tan pronto como le encontremos, le mataremos. Luego volveremos los tres, recogeremos el dinero y regresaremos juntos hacia el sur.
NED.–¿Y si no está en el rancho?
MUNNY.–Apostaría cualquier cosa a que no irá al pueblo, ni creo que se dedique a cabalgar por las praderas. Ahora mismo estará escondido en el rancho.
NED *(poniéndose en marcha)*.–No voy a esperar, Bill *(echando un vistazo hacia atrás)*. Me ocuparé de tus críos cuando llegue.
MUNNY *(a voces)*.–Ned, no hagas caso de lo que Kid ha dicho sobre el dinero. Te llevaré tu parte, ¿vale? Kid no sabe lo que dice ¿me oyes?

84. EXT. CASA DE LITTLE BILL - PLANO DEL TEJADO - DIA

Es última hora de la tarde y Little Bill anda a gatas por el tejado con un cubo de brea. Lleva brea en el bigote y la cara. Mira hacia abajo al oír RUIDO DE CASCOS.

PLANO DE CHARLEY HECKER

Muy excitado, Charley llega galopando hasta la casa de Little Bill. Salta del caballo delante del porche que, desde la última vez que lo vió, parece casi concluido y, a la vez, a punto de venirse abajo.

CHARLEY *(mira a su alrededor, sin aliento).*–Little Bill, Little Bill...
LITTLE BILL (FUERA DE CUADRO).–Sí.

Charley mira hacia arriba, sorprendido. Little Bill le contempla desde lo alto del alero.

LITTLE BILL *(justificándose).*–Estoy haciendo unas pequeñas reparaciones.
CHARLEY *(sin aliento).*–Han matado a uno de los vaqueros.

85. EXT. CALLE PRINCIPAL - PLANO CORTO DE UNA LAMPARA - NOCHE

La luz oscila sobre el rostro cerúleo de Davey y sus ojos muertos, mientras Eggs, Joe el alemán y Paddy sacan el cuerpo ensangrentado de la trasera de un carro.
SE ABRE EL PLANO. Con el estómago revuelto W.W. contempla la escena y toma notas. A sus espaldas la calle bulle de animación.

WIGGENS (FUERA DE CUADRO).–... y Parsons dice que justo antes de la salida del sol vio a tres hombres que se dirigían hacia el este. Uno montaba un viejo Morgan y otro una yegua blanca, sólo que no....

A pocos metros del carro, delante de la oficina del comisario, Little Bill es asediado por sus ayudantes y por los hombres del pueblo.

FATTY.–Amos, el del establo, me ha dicho que le pregunte si el gobierno paga la comida de todos los caballos o si...
CHARLEY.–Witherspoon dice que no nos dará más munición hasta que no se la paguemos....

Los PERROS GRUÑEN, enseñan los colmillos y tiran de las correas mientras Tom Luckinbill intenta controlarlos.

TOM.–...si emplean los perros el gobierno será responsable en caso de que...

LITTLE BILL *(tranquilo).*–No te preocupes por los caballos, Fatty. Limítate a ir hasta el rancho Bar T y asegúrate de que el otro vaquero mantenga la calma y no se exponga, ¿está claro?

86. INT. HABITACION DE ALICE - NOCHE

A la mísera luz de una única lámpara vemos a las putas sentadas con expresión melancólica en el cuarto de Alice. Little Sue se seca las lágrimas y Delilah tiene la mirada ausente.

DELILAH *(sin dirigirse a nadie en particular).*–No pensé que lo harían de verdad.
ALICE *(con tono desagradable).*–¿Qué te creías, que habían venido desde Kansas para joder con nosotras?
DELILAH *(como ausente).*–Ese Kid... no es más que... un niño. Y el otro, Bill, es fiel a su esposa...
ALICE.–¿Qué esposa? No está casado.
DELILAH *(herida, conmocionada).*–Me dijo que...
ALICE.–Te digo que no tiene esposa, al menos no sobre la tierra.

Delilah se está tragando la humillación cuando...

¡CRASH! Una PIEDRA atraviesa la VENTANA y se escuchan gritos.

VOZ (FUERA DE CUADRO).–¡Jodidas zorras asesinas!

Todas permanecen petrificadas en sus sitios hasta que Alice reacciona y se levanta. Se dirige a la ventana y devuelve la pedrada.

ALICE *(a grandes voces).*–¡Se lo había ganado! Se lo merecía por lo que hizo... Y el otro también... Los dos se lo han buscado... por lo que hicieron.

87. EXT. OFICINA DEL COMISARIO - NOCHE

Little Bill, una multitud con antorchas. De pronto hay una gran conmoción y se escuchan gritos. Todos se vuelven hacia el norte y...

Fuzzy llega al pueblo a pleno galope, aullando todo lo que le dan de sí los pulmones.

>FUZZY.–Tenemos a uno. Hemos cogido a uno de esos cabrones, le hemos pillado...

Los espectadores abren paso a Fuzzy, que llega a caballo hasta la puerta de la oficina del comisario. Para en seco y, casi sin aliento, se dirige a Little Bill.

>FUZZY *(insiste)*.–Tenemos a uno de esos cabrones, comisario. Junto a Cow Creek, le...
>LITTLE BILL.–¿Vivo?
>FUZZY.–Claro. Un puñado de los muchachos del Bar T salimos a buscar a los que habían matado a uno de los nuestros. Encontramos a este tipo cuando se dirigía al sur montado en un ruano y...
>LITTLE BILL.–¿Ha confesado?
>FUZZY.–No... Pero no tardará en hacerlo, supongo. Tenía un rifle Spencer y estaba...
>LITTLE BILL.–Los muchachos le están sacudiendo, ¿eh?
>FUZZY.–Bueno... puede que un poco.
>LITTLE BILL *(a Clyde)*.–Tú y Andy id para allí a toda hostia. Averiguad dónde han ido los otros dos.

88. EXT. LETRINA FUERA DE LA CASA - AMANECER

Los PÁJAROS CANTAN alegremente. La puerta de la letrina se abre y aparece BUCK BARTHOL, desperezándose con regodeo.

PLANO DE UNOS ARBUSTOS

Kid se tapa la nariz. Los matorrales están justo detrás de la letrina y el hedor es terrible. Kid está allí escondido y, para diversión de Munny, realiza una elaborada pantomima de su sufrimiento.

89. INT. BARRACON - PLANO DE BUCK - DIA

Buck entra en el barracón. La luz es muy pobre y es más fácil discernir los resoplidos y ronquidos de los durmientes que sus borrosas figuras... excepto en el caso de Thirsty y Quick Mike, que están sentados a la mesa a medio vestir liando cigarrillos.

> THURSTON.–¿Has visto a alguien ahí afuera, Buck?
> BUCK.–Claro que sí.

Mike levanta la vista nervioso.

> BUCK.–He visto unos doscientos tíos armados con rifles... Esos mamones tienen el lugar rodeado y dicen que quieren las pelotas de Quick Mike... Les he dicho '¿cuánto me dáis por ellas?'. Me han dicho, 'cinco'. He preguntado, '¿dólares?' y han respondido, 'centavos'. Hemos cerrado el trato.
> MIKE.–Bueno, no me preocupa. Tengo protección.

Quick Mike señala hacia una litera cercana. Fatty ronca acostado en ella.

90. EXT. CALLE PRINCIPAL - PLANO CORTO DE LA CARA DE NED - NOCHE

Le sangra la nariz y tiene los dos ojos negros. Avanza sobre el caballo por la calle principal de Big Whiskey escoltado por seis vaqueros *(entre ellos Texas Slim, Johnny Foley y Lippy MacGregor)* además de Clyde y Andy. Lleva las manos atadas y parece sombrío y... asustado.

SE ABRE EL PLANO. Little Bill y W.W. Beauchamp están de pie en el porche delante de la oficina del comisario cuando llega el pequeño grupo acompañado de un montón de mirones. Little Bill dirige una mirada gélida a Ned mientras se dirige a Clyde.

> LITTLE BILL.–¿Os ha dicho dónde están los otros?
> CLYDE.–No.
> LITTLE BILL.–¿Os ha dicho cómo se llaman?
> CLYDE.–No ha dicho más que su propio nombre... Ned Roundtree.
> LITTLE BILL.–Bueno, Ned, supongo que querrás contarnos a mí y aquí al señor Beauchamp todo acerca de esos dos forajidos amigos tuyos *(a Clyde y a Andy)*. Traédle dentro, chicos. Me alegrará saber los nombres y el escondite de esos otros dos cabrones asesinos.

91. EXT. LETRINA - PLANO DEL SOL DE MEDIODIA - DIA

El sol brilla en lo alto y se escucha un enorme PEDO...

PLANO DE LA LETRINA

Al cabo de un momento, se escucha otro enérgico PEDO, y seguidamente un silencio sólo roto por el ZUMBIDO de las MOSCAS. Repentinamente, el SONIDO de un PERIÓDICO... De pronto, la puerta se abre y asoma Thirsty, que mira en dirección al barracón.

PLANO DE KID

Sigue padeciendo el hedor escondido entre los arbustos. Las MOSCAS ZUMBAN FURIOSAMENTE.

> KID.–Menudo pestazo. Ojalá soplase algo de brisa.

Munny se seca el sudor de la cara y levanta los ojos hacia el resplandeciente sol.

> MUNNY.–Y peor que va a oler.
> KID.–¿Sigues pensando que está ahí dentro?
> MUNNY (con la vista clavada en el barracón).–Sí, está ahí dentro.
> KID.–Pues escatima su mierda como si fuese dinero.
> MUNNY.–Está ahí dentro.
> KID.–Avísame si le ves.
> MUNNY.–Descuida.
> KID.–¿No piensas... cargártelo tú mismo?
> MUNNY (cansado ya de repetírselo).–Puedes hacerlo tú.

Kid asiente satisfecho, pero está más tenso que las cuerdas de un violín. Sus dedos juguetean nerviosamente con la pistola.

92. INT. CARCEL - PLANO CORTO SOBRE LA CARA DE NED - DIA

Ned está en pie, atado a los barrotes de la celda de la oficina del comisario.

Está en una posición que recuerda, más o menos, a un águila con las alas desplegadas. Da la espalda desnuda a Little Bill, Charley Hecker y W.W. Beauchamp.

SE ABRE EL PLANO.

> LITTLE BILL.–Así que, tú... y... uh... el señor Quincy y... ¿Cuál era el nombre del chico?
> NED.–Tate. Elroy Tate.

W.W. sacude la cabeza mientras muestra sus notas a Little Bill.

> LITTLE BILL.–Eso no es lo que dijiste antes, Ned.

Little Bill vacía el contenido ardiente de la cazoleta de su pipa sobre el hombro de Ned. Éste se retuerce y rechina los dientes.

> NED.–¡Mierda que no!

> LITTLE BILL (mirando las notas de W.W.).–Antes dijiste Elroy Quincy de Medicine Hat y Henry Tate de Cheyenne.
> NED.–Y una mierda.
> LITTLE BILL (vuelve a llenar su pipa).–Charley, trae aquí a las putas que follaron con esos tipos la noche de la tormenta.
> CHARLEY.–¿A Strawberry Alice y a Silky?
> LITTLE BILL.–Sí... y coge un látigo de los del alemán.

El rostro de Ned está apoyado en los barrotes y cubierto de transpiración. En él se refleja el miedo cuando oye cerrarse la puerta detrás de Charley.

> LITTLE BILL (sigue mientras enciende la pipa).–Veamos, Ned... esas putas me van a contar mentiras diferentes a las tuyas... y cuando tus mentiras no coincidan con las de ellas... No pienso hacer daño a ninguna mujer, te lo haré a ti... No voy a seguir siendo amable contigo como hasta ahora... voy a ser... malo de verdad.

Ned traga saliva, suda y aguarda.

93. INT. BARRACON - PLANO CORTO SOBRE UNAS CARTAS - DIA

Están jugando en una mesa pequeña del barracón. SE ABRE EL PLANO. Vemos a Quick Mike, Buck, Thirsty, Fatty Rossiter y OLAF HARKEN. Quick Mike no lleva ni siquiera una pareja. Disgustado, arroja sus cartas sobre la mesa, se dirige a su litera y empieza a calzarse las botas.

> BUCK *(a Mike)*.–¿Dónde vas?
> QUICK MIKE.–A cagar.
> FATTY *(que lleva dos reyes)*.–Déjame terminar esta mano, ¿quieres?
> QUICK MIKE.–¿Vas a protegerme mientras cago?

Quick Mike se acerca hasta un gancho y se echa al hombro desnudo el cinturón con un arma.

> BUCK.–Puedes sufrir una emboscada.
> MIKE *(mientras va hacia la puerta)*.–Les mataré a pedos.
> THURSTON *(hace ademán de levantarse)*.–Yo le acompaño.
> MIKE.–Podrías limpiarme el culo, Thirsty.
> THURSTON *(sentándose otra vez)*.–Que se vaya al infierno. Merece que le maten por cerdo.

94. EXT. LETRINA - DIA

Kid está entre los matorrales y escucha cómo se CIERRA DE GOLPE la PUERTA del barracón. Bizquea nervioso.

> KID *(susurrando)*.–¿Es él?

> MUNNY *(mirando a Mike)*.–Sí.

A Kid no le llega la camisa al cuerpo. Tiene la garganta seca y jadea como si le faltara el aire. Amartilla la pistola y bizquea de nuevo lleno de ansiedad.

PLANO SUBJETIVO DE KID

FUERA DE FOCO Mike avanza. Vemos la escena en PLANO SUBJETI-

VO desde la perpectiva de Kid. Poco a poco la imagen de Mike COBRA FOCO. Se acerca y pasamos

POR CORTE A:

KID. Tenso ante la acción inminente. Munny le observa.

> MUNNY *(en un murmullo)*.–Todo tuyo, Kid. ¿Podrás hacerlo?

Kid se muerde el labio y no contesta. Quick Mike está muy cerca. Kid levanta la pistola, traga saliva y no dispara. Ya es demasiado tarde, porque Mike ha entrado en el retrete.

Mosqueado, Munny amartilla la escopeta para ocuparse él mismo.

Andando como si pisase huevos, Kid se aproxima a la puerta de la letrina con la pistola en la mano derecha. Extiende la izquierda para abrir la puerta, pero vacila un momento y...

Munny ve a Fatty Rossiter asomarse despreocupadamente por la puerta del barracón y levanta el arma. Fatty ve a Kid y empieza a gritar.

> FATTY.–¡Los asesinos, chicos, los asesinos!

¡BOOM. Munny DISPARA la escopeta y Fatty vuelve de un salto al interior del barracón.

Kid mira sorprendido por encima de su hombro.

> MUNNY.–¡Dispárale, Kid!

Kid agarra la puerta del retrete con la mano izquierda y la abre. Allí está Mike sentado en el tigre con cara de asombro. Tiene una mano en la pistola pero está paralizado. Kid le está apuntando con el Schofield pero también está pasmado.

> MIKE.–¡No! ¡No!

¡BLAM! El Schofield salta en las manos de Kid y Mike recibe el impacto en

el pecho. Se forma una nube de humo alrededor y Kid contempla a Mike con sorpresa. Mike, que tiene una gran mancha de sangre en el pecho mira fijamente a Kid, muy sorprendido también. Entonces...
BLAM, Kid le DISPARA de nuevo, esta vez en la cara. ¡BANG! ¡BANG! Llegan DISPAROS desde el barracón y...
¡BOOM! Munny REVIENTA el barracón con la ESCOPETA.

> MUNNY.–Vámonos, Kid.

BLAM, Kid DISPARA sobre el cuerpo desplomado de Mike por tercera vez. Se queda como hipnotizado pero...

BANG, BANG; llegan DISPAROS procedentes del barracón. Munny aúlla y Kid consigue salir del trance.

95. EXT. ARBUSTOS - DIA

Munny se abre paso a través de los arbustos y Kid le sigue a poca distancia. Munny tropieza y se pone en pie como puede.

> MUNNY.–¿Has...conseguido...matarle?
> KID *(estupefacto)*.–Sí.

96. EXT. LETRINA - DIA

Vemos la letrina y el cuerpo de Mike. Fatty, Thirsty y Buck pasan rápidamente por delante blandiendo sus armas.

97. EXT. BOSQUE - DIA

En el bosque están la yegua albina y el Morgan. Munny y Kid se lanzan sobre los caballos, mientras intentan recuperar el aliento. Munny pretende montar con la escopeta aún en la mano y la yegua empieza a hacer de las suyas. Munny no consigue subirse a ella.

> MUNNY.–Estáte quieta.

BANG, BANG, BANG. Los PROYECTILES SILBAN a su alrededor. Munny mira hacia atrás y ve a sus perseguidores, que les disparan a cubierto desde unos cincuenta metros.

Munny mete dos cartuchos en la escopeta y se la pasa a Kid, que acaba de subir a su caballo.

>MUNNY.–Cúbreme mientras monto, Kid.
>KID *(aterrorizado)*.–No les veo.

BANG, BANG, BANG.

>MUNNY.–¡Limítate a disparar!

BLOOM, Kid dispara más o menos en dirección al enemigo. Munny ya está al galope, huyendo de forma muy poco digna, con medio cuerpo fuera del caballo. Las BALAS SILBAN alrededor de la yegua mientras Kid vocifera a su espalda.

>KID.–¿Dónde estás, Bill? ¿Dónde estás? ¡No puedo verte! Espérame.

Desaparecen y el TIROTEO SE INTERRUMPE gradualmente.

98. EXT. CAMPO ABIERTO - CREPUSCULO

Desde una colina baja vemos el campo abierto y el sol poniente. Apenas se distingue un solitario jinete que va aproximándose desde una gran distancia.

PLANO DE MUNNY

Está de pie en la loma mirando hacia la figura distante.

>KID.–¿Era así en los viejos tiempos, Bill? ¿Lo de... cabalgar como alma que lleva el diablo, con todo el mundo disparándote... con humo por todas partes, tipos que gritan y balas silbando a tu alrededor?

Kid está sentado junto a Bill bajo un gran roble y bebe whiskey de una botella.

>MUNNY *(con expresión ausente)*.–Sí, supongo que sí.
>KID.–Mierda... Pensé que nos cogían... Por un momento, incluso... me asusté *(pausa)*. ¿Tú pasabas miedo entonces?

Munny deja de mirar hacia el jinete que se aproxima lentamente y se dirige hacia Kid, que no puede verle desde donde está sentado.

MUNNY.–No lo recuerdo, Kid. Pasaba la mayor parte del tiempo borracho. ¿Me das un trago de tu botella?

Munny se mete un buen pelotazo, le devuelve la botella a Kid, y regresa al borde de la loma para continuar con su vigilancia.

El jinete está un poco más cerca y el sol un poco más bajo. Es un hermoso espectáculo.

KID (bebiendo como un cosaco).–Le disparé a ese cabrón tres veces. Estaba cagando. Echó mano a su pistola y le freí... el primer tiro le dió en el pecho...

Kid se seca el whiskey que le gotea por la barbilla. Ha hecho lo que ha podido por transformar su histeria en entusiasmo... pero no ha conseguido gran cosa.

KID.–...Oye, Bill...
MUNNY.–Sí.

Munny observa al jinete, que se acerca más y más.

KID.–Éste... ha sido... el primero.
MUNNY.–¿El primer qué?
KID.–El primero que he matado.
MUNNY (ocupado en vigilar).–¿Sí?
KID.–Cuando dije que había matado a cinco hombres... no era verdad (larga pausa). Aquel mejicano... el que me atacó con un cuchillo... le partí la pierna con una pala... No le disparé ni nada de eso.

Munny mira hacia el jinete, que está ya muy próximo, pero avanza al paso. Munny vuelve donde está Kid para tomar otro trago. Intenta animarle cuando le dice...

MUNNY.–Pues a ese tipo de hoy sí que le disparaste.
KID (en un alarde forzado).–Diablos, sí. Le dejé seco... tres tiros... estaba ca... cagando y... y...

Kid tiembla, preso de un ataque de histeria incontrolable, no puede seguir. Munny le devuelve la botella.

> MUNNY.–Toma un trago, Kid.
> KID *(viniéndose abajo, llorando).*–Oh, Dios bendito... no... no parece... real... Que esté... muerto... que no vaya a respirar... nunca más... nunca. Igual que... el otro... Sólo por... por apretar un gatillo.

Munny vuelve a asomarme y observa al jinete. Es una hermosa puesta de sol. Habla sin dirigirse a nadie en particular.

> MUNNY.–Eso de matar a un hombre es la hostia, es verdad. Le arrebatas todo lo que tiene... y todo lo que podría haber tenido.
> KID *(haciendo un esfuerzo por sobreponerse).*–Bueno, supongo que ellos... se lo tenían merecido.
> MUNNY.–Todos nos lo merecemos, Kid.

PLANO DEL JINETE

Ha llegado al pie de la loma. Se trata de Little Sue y...

PLANO DE MUNNY

Está retirando las alforjas mientras Little Sue sigue aún montada. Están bajo el roble en pleno crepúsculo. Kid está sentado con su botella.

> MUNNY.–He estado observándola... para ver si la seguían.
> LITTLE SUE *(muerta de miedo).*–Silky y Faith se han ido al este y dos ayudantes del comisario han ido tras ellas.

Munny ha encendido una vela y extendido una manta. Abre las bolsas para contar el dinero.

> MUNNY *(volcando las monedas y billetes).*–¿Quieres ayudarme a contar esto, Kid?

Kid permanece reclinado contra el árbol en un estado de semiestupor.

> KID.– Confío en ti, Bill.

MUNNY.–Pues no confíes en mí demasiado. Llevaremos a Ned su parte juntos, no vayas a pensar que me largo con ella.

LITTLE SUE *(sorprendida)*.–¿La parte de Ned?

MUNNY *(mientras cuenta)*.–Sí, va por delante camino del sur. Creo que podremos alcanzarle antes de....

LITTLE SUE *(de sopetón)*.–Está... está muerto.

MUNNY *(sigue contando)*.–No lo está. Se fue hacia el sur ayer.

LITTLE SUE.–Le han... matado. Yo... pensé que lo sabíais. Pensé que lo sabíais porque...

MUNNY *(levantando la vista)*.–Nadie le ha matado. Ned se marchó ayer. Ni siquiera ha matado a nadie. ¿Por qué iban a matarle a él?

Little Sue se limita a mirarle, asustada y temblorosa.

MUNNY *(comprendiendo que es cierto)*.–¿Quién le mató?

LITTLE SUE.–Little Bill. Los...chicos del Bar T le cogieron y Little Bill...

MUNNY.–¿Le colgó? *(Little Sue niega con la cabeza)*. ¿Le pegó un tiro?

LITTLE SUE.–No... Le... dió una paliza. Le estaba ... interrogando... y le pegaba... entonces... Ned murió *(pausa)*. Little Bill no quería matarle... dijo que lo sentía y todo eso, pero que, al fin y al cabo, era un buen ejemplo.

MUNNY *(indignado)*.–¡Un buen ejemplo! Me gustaría saber de qué es un buen ejemplo. Ni siquiera había matado a nadie... ya no era capaz de matar.

LITTLE SUE.–Le han colocado... un cartel en el que pone que es un asesino.

MUNNY *(anonadado)*.–¿Le han puesto un cartel ?

LITTLE SUE.–Le han puesto delante de Greely's. Dice: 'Esto es lo que les pasa a...'

MUNNY *(incrédulo)*.–¿Le están exhibiendo delante de Greely's?

Kid tiene la cabeza entre las manos. Es demasiado para él. Little Sue se siente aterrorizada por Munny.

MUNNY.–Esas preguntas que le hacía Little Bill... ¿qué clase de preguntas eran?

LITTLE SUE.–Quería saber dónde estábais tú... *(señala en dirección a Kid)* y él.... de dónde veníais... y cómo os llamábais... y

MUNNY.–¿Qué le contó Ned?

LITTLE SUE.–Le mintió... al principio. Dijo que íbais de paso y que no habíais matado a nadie... pero Little Bill no dejaba de interrogarle, intentando confundirle, pillarle en un renuncio... y entonces le pegaba, y Ned gritaba y... seguía mintiendo un poco más hasta... hasta que...

MUNNY.–¿Hasta... qué?

LITTLE SUE.– Hasta que llegó un vaquero diciendo que habíais matado a Quick Mike en la letrina del Bar T...

MUNNY.–¿Little Bill mató a Ned por algo que había hecho yo?

LITTLE SUE.–No fue a propósito. Pero empezó a hacerle más daño... para que hablase. Ned no dijo nada al principio... pero Little Bill le hizo tanto daño que le dijo quiénes erais...

Munny levanta la vista brucamente. Little Sue está atemorizada, le tiembla la voz...

LITTLE SUE.–...Dijo que en realidad erais la banda de Jack Tresdedos y que veníais de Missouri... y Bill le preguntó: '¿La banda de Jack Tresdedos que dinamitó el Rock Island and Pacific en el 69, matando mujeres y niños?' Y Ned le dijo que habíais hecho cosas mucho peores, que erais más despiadados que William Bonney o Clay Alisson o los hermanos James. Ned también le amenazó con que si seguía pegándole le buscarías para matarle, igual que habías matado a un alguacil el año 73.

MUNNY.–Eso no asustó a Little Bill, ¿verdad?

LITTLE SUE.–No, señor.

MUNNY.–Déjame ver el Schofield, Kid.

KID.–¿Para qué?

MUNNY *(secamente)*.–Déjame verlo.

KID *(entregándoselo)*.–Claro. Claro, Bill.

Munny coge la pistola y comienza a revisarla metódicamente, empezando por comprobar que está cargada... Kid le observa nervioso, cargando su peso en uno y otro pie.

KID.–Puedes... puedes quedártela, Bill. Yo no voy a... usar-
la nunca más, no pienso matar a nadie.

Munny, inspeccionando todavía el arma todavía, levanta la vista y se
encuentra con la expresión desasosegada de Kid.

KID.–Yo... no soy como tú, Bill.

Munny vuelve a interesarse por la pistola y examina la mira.

KID.–¿Tú... vas a coger... el dinero?
MUNNY *(dirigiéndose a Little Sue).*–Será mejor que regre-
se, señorita.

Little Sue, que no ha bajado siquiera del caballo, suelta un gran suspiro de
alivio y parte a la carrera. Munny, satisfecho con la inspección del arma, se la
guarda en el cinturón y se dirige a su caballo. Saca la escopeta de cañones
recortados, que está envuelta en la manta.

KID.–Podrías quedártelo. Todo.
MUNNY *(revisa también la escopeta).*–Creía que querías
comprarte gafas y ropa elegante, y todas esas cosas.
KID.–Prefiero estar ciego y mal vestido antes que muerto.

Munny observa a Kid, que intenta mantener el tipo, aunque está temblando
de nuevo, asustado. Los ojos de Munny están lleno de recuerdos brutalmen-
te dolorosos.

MUNNY.–Mierda, Kid. No voy a matarte. Eres... el único
amigo que tengo.

99. EXT. NORTH ROAD - NOCHE

La luz de la luna incide sobre el cartel que advierte sobre la ordenanza nº 14
a la entrada de North Road. Dos jinetes avanzan despacio. Son Munny y
Kid. El primero detiene su caballo y Kid hace otro tanto. Munny retira las
alforjas de su montura.

MUNNY *(pasándoselas a Kid).*– Aquí está el dinero.
Entrégale mi parte y la de Ned a mis chicos. Diles que le

den la mitad a Sally Two-Trees si no he vuelto dentro de una semana. El resto es para ti... para que te compres unas gafas.

KID.–¿Vas a... matar a Little Bill?

MUNNY *(sosteniendo la botella de wisky)*.–Supongo que no te importará que me quede con la botella.

KID.–Vas a matarle, ¿verdad?

MUNNY.–Mantente alejado de todos los tipos que consigas ver. Hay un montón de gente por ahí que te busca para colgarte. Lárgate ya con viento fresco.

Munny le da una palmada al caballo de Kid y éste arranca al trote. Munny le ve desaparecer en la oscuridad. Se queda solo y cuando ya no se oye el caballo de Kid, destapa la botella y toma un largo trago.

100. EXT. PORCHE DE GREELY'S - PLANO DEL CUERPO DE NED - NOCHE

Hay un ataúd puesto en pie sobre el que oscila la luz de una antorcha colocada junto a él. Por supuesto, Ned no tiene buen aspecto. Sobre el cajón pende un cartel burdamente garabateado con la leyenda: "Esto es lo que les pasa a los asesinos que vienen por aquí".

101. INT. BAR - PLANO DE LITTLE BILL - NOCHE

El local está atestado y tiene que gritar para hacerse oír por encima del bullicio.

LITTLE BILL.–Muy bien, lo diré sólo otra vez para que quede bien claro y no volváis a preguntarme.

El lugar está lleno de hombres cansados y sucios. No reina precisamente el júbilo sino más bien la excitación propiciada por la histeria de los acontecimientos.

LITTLE BILL.–Los que han formado hoy parte de la cuadrilla están invitados a un trago a cuenta del presupuesto del condado...

THURSTON.– Bravo.

LITTLE BILL.–... y los que salieran ayer también están invitados.

PADDY.–Hurra.

EGGS.–Os dije que eran dos, os...

LITTLE BILL.–Alto ahí. Después de las primeras dos, las siguientes rondas corren por vuestra cuenta... ¿Está claro, Skinny?... Y mañana saldremos temprano hacia Texas a dar caza a esos tipos, así que en vuestro lugar yo no me gastaría mucho dinero esta noche.

Hay un clamor y un alboroto generalizados mientras Little Bill reanuda su conversación en la barra con Charley, Fatty, Clyde, Andy y W.W. Beauchamp.

LITTLE BILL.–Si nos dividimos en cuatro partidas y cubrimos todas las granjas y caminos formando un círculo, daremos con alguien que haya visto a esas mofetas y...

Little Bill se da cuenta de pronto de que está hablando a voces en medio de un repentino silencio, que se ha extendido por el bar como reguero de pólvora. Se da la vuelta y descubre que todos están mirando a...

Munny, con su escopeta del calibre diez apoyada en el hombro, está en pie en la puerta, a diez metros escasos de distancia. Da un par de pasos hacia un lado para permitir que la puerta se cierre a su espalda. Describiendo un ominoso arco con los cañones gemelos de la escopeta, escudriña el local.

MUNNY *(ligeramente borracho)*.–¿Quién es el jodido dueño de este antro de mierda?

Nadie dice ni pío. Con los ojos como platos, Skinny permanece detrás de la barra mientras el sudor le chorrea por la frente. Little Bill está considerando fríamente la situación, pero todos los demás tragan saliva y miran hacia la escopeta.

MUNNY *(dirigiéndose a Fatty)*.–Tú, el gordo, habla que yo te oiga.

A Fatty se le atragantan las palabras. Skinny se arma de valor y sale de detrás de la barra con toda la dignidad que su miedo le permite.

SKINNY.–Yo... yo soy el dueño de este establecimiento. Se lo compré a Greely por mil...

MUNNY *(a los hombres que rodean a Skinny)*.–Mejor os apartáis, muchachos.

Skinny mira a uno y otro lado mientras la gente se aleja de él. Busca desesperadamente algo que decir, quiere vivir, quiere...

LITTLE BILL.–Alto ahí, señ...

¡BOOM! Munny ABRE FUEGO, hay una nube de humo y...

Skinny sale despedido contra la pared. Cae al suelo convertido en una piltrafa sanguinolenta y...

Little Bill está echando mano al Spencer, que está apoyado en la barra del bar cerca de su pierna, pero se queda inmóvil porque...

Munny ha vuelto el arma hacia él. Ve el Spencer de Ned y sus ojos dicen muy claro lo que siente al respecto.

Por un instante, mientras se disipa el humo, el local permanece en silencio. Los demás lanzan nerviosas miradas en dirección al cuerpo cubierto de sangre de Skinny, pero Little Bill no pierde de vista a Munny.

LITTLE BILL.–Bueno, señor... Es usted un cobarde

hijo de puta, porque acaba de matar a un hombre desarmado.

Se ha creado una situación muy ceremoniosa. Hablando en sentido figurado, en el lugar sólo hay dos personas, Munny y Little Bill. W.W. Beauchamp les observa, muerto de miedo, pero está siendo testigo de una escena con la que sueñan todos esos tipos que llegan del este: un duelo a tiros en un saloon del oeste.

MUNNY *(su escopeta apunta directamente a Little Bill)*.–Debería haberse armado después de decorar su local con el cadáver de mi amigo.
LITTLE BILL.– Supongo que usted es Jack Tresdedos de Missouri, el asesino de mujeres y niños.
MUNNY *(un poco borracho)*.–Sí, lo he hecho... he matado a mujeres y niños... He disparado sobre casi todo lo que anda o se arrastra y ahora he venido a por ti, Little Bill, por lo que le hiciste a Ned *(dirigiéndose a los otros)*. Haceos a un lado, muchachos.

Mientras sus ayudantes se apartan nerviosos, Little Bill se desmarca de ellos y avanza unos pasos con osadía.

LITTLE BILL.–No le queda más que un cartucho, caballeros. Cuando lo haya usado, saquen sus pistolas y mátenlo como el cabrón cobarde y borracho que es.

Little Bill vuelve a mirar a Munny valerosamente y...

Munny apunta a Little Bill y tras un instante de tensión, aprieta el gatillo.

CLICK. El percutor cae pero la escopeta no dispara. Lo que ocurre a continuación transcurre en no más de cinco segundos, en los que parecen desatarse todas las fuerzas del averno.

> LITTLE BILL *(desenfundando)*.–¡Ha fallado! ¡Matemos a este hijo de puta!

Little Bill apunta cuidadosamente y...

Munny le tira la escopeta y...

¡BLAM!... Little Bill DISPARA a tontas y a locas cuando le golpea la escopeta y...

Clyde saca su pistola y apunta a Munny pero...

Munny saca su pistola, hinca una rodilla en tierra y...

¡BLAM! Clyde DISPARA y falla...

Little Bill está a punto de apretar el gatillo cuando...

¡BLAM!... Munny le dispara y...

¡BLAM!... Little Bill hace otro tanto en el momento en que recibe el impacto en el pecho y...

¡BLAM! ¡BLAM!... Fatty HACE FUEGO sin control pero...

Munny apunta y ¡BLAM!

Acierta a Clyde en la cara y...

¡BLAM! ¡BLAM!... Fatty no se molesta siquiera en apuntar mientras que... Andy apunta con cuidado. Puede matar a Munny pero...

Munny se vuelve, dirige su pistola hacia Andy y...

En lugar de hacer fuego, Andy sufre un ataque de pánico. Intenta hacerse a un lado para protegerse del impacto cuando...

¡BLAM! Munny DISPARA y...

Andy recibe el disparo en el tórax. Entonces...

Charley se vuelve y echa a correr hacia la parte trasera mientras...

¡BLAM! ¡BLAM!... Fatty está cubriendo la retirada y DISPARA desde la cadera. Cuando se da la vuelta para escapar...

Munny apunta con deliberación con una rodilla en el suelo y ¡BLAM!...

Fatty cae con un tiro en la espalda...

De repente... se hace un terrible silencio, roto solamente por los horribles y desgarrados aullidos de muerte de Clyde y las toses de los espectadores, ocultos tras mesas y sillas en medio de una densa humareda.

Munny permanece rodilla en tierra, apuntando con su pistola, intentando distinguir en medio del espeso humo alguien a quien disparar, pero al parecer han desaparecido ya todas las amenazas.

> MUNNY.–Mejor será que todos los gilipollas que quieran seguir viviendo se larguen rápidamente por la puerta de atrás.

Tropiezan unos con otros mientras corren hacia los billares. Munny se pone en pie y mira a su alrededor. A Clyde, que gime con la cara cubierta de sangre, y a los otros: a Little Bill, Andy y Fatty que están inmóviles. De pronto, Fatty parece moverse y Munny levanta de nuevo la pistola. W.W. a quien le ha caído encima Fatty, sale arrastrándose de debajo de él. Está cubierto de sangre y tiembla como una hoja.

> W.W.–Yo... creo... que... me han... dado.
> MUNNY.–No está herido.
> W.W. (viendo la pistola).–Por fa-fa-favor, no estoy armado.

Cuando Munny baja la pistola, W.W. mira a su alrededor.

> W.W.–Di... Dios mi...mío, ha matado usted a... Little Bill.
> MUNNY *(con voz de sospecha)*.–¿Seguro que no está armado?
> W.W.–Yo nunca lle-lle-llevo ar-armas. Soy... escritor.
> MUNNY.–¿Escritor? ¿Y qué escribe?... ¿Cartas y cosas así?
> W.W.–Li-libros *(estupefacto)*. Ha... ha matado a cinco hombres... usted solo.
> MUNNY *(cansinamente)*.–Cierto.

Mientras observa con desconfianza a W.W., Munny camina hacia la barra y coge una botella con la mano izquierda, que le tiembla violentamente mientras inclina la botella y bebe torpemente y con esfuerzo. En la derecha sostiene aún la pistola.

> W.W.–¿A-a cuál ma-ma-tó primero?
> MUNNY.–¿Eh?
> W.W. *(como recitando una lección)*.–E-en caso de su-superioridad numérica, el pistolero experimentado disparará primero sobre los mejores tiradores.
> MUNNY *(bebiendo)*.–¿Ah, sí?

Ninguno de los dos repara en que Little Bill está consciente, aunque sangra por la boca y le han dado por muerto. Tiene una mano sobre su pistola y oye los gemidos esporádicos de Clyde.

> W.W.–Me lo explicó Little Bill. Le disparó a él primero, ¿no es así?

En el suelo, Little Bill lucha por recobrarse mientras aprieta la pistola con los dedos.

> MUNNY.–Tuve suerte con el orden *(amargamente)*. Siempre tuve suerte a la hora de matar gente.
> W.W. *(fascinado)*.–¿Quién fue el siguiente? ¿Clyde? ¿O fue...?
> MUNNY *(su voz suena ominosa de repente mientras le apunta con la pistola)*.–Puedo decirle quien será el último , señor.

Los ojos de W.W. se abren de par en par cuando cae en la cuenta de lo que

Munny quiere decir. Retrocede rápidamente y desaparece por la parte de atrás del local. Mientras le ve marchar, Munny da la espalda al cuerpo de Little Bill.

Little Bill, desde el suelo, levanta la pistola con mano temblorosa y apunta a la espalda de Munny, que se encuentra a unos dos metros. Tiembla mucho mientras amartilla el arma y...

MUNNY escucha el CLICK y se vuelve. Descubre a Little Bill apuntándole, pero ya es tarde porque...

¡BLAM! La pistola de Little Bill escupe humo y fuego mientras su brazo se desploma por el esfuerzo. La pistola golpea el suelo.

> MUNNY *(continúa)*.–Has fallado otra vez, gilipollas.

Munny se dirige hacia él y arranca la pistola de la mano extendida de Little Bill. Éste sigue sangrando por la boca como resultado de un balazo en el pulmón y está muy débil. Todo lo que puede hacer es levantar la vista hasta Munny y hablar en un susurro.

> LITTLE BILL.–No... merezco esto... morir... así. Estaba... levantando una casa.
> MUNNY *(apuntándole con la pistola a quemarropa)*.–"Merecer" no significa una puta mierda, Little Bill.

LITTLE BILL *(tiene la pistola de Munny apoyada sobre la cara).*–Te veré... en el infierno, jodido Tresdedos.

¡BLAM! Munny dispara a Little Bill y mira de nuevo a su alrededor. Clyde aún sigue quejándose, pero no hay más sonidos. Entonces, repentinamente, Munny se pone en acción. Se acerca rápidamente a Clyde y le DISPARA una sola vez con el Spencer. Los quejidos se detienen. Vuelve enseguida al lugar donde está el cadáver de Little Bill y busca en sus bolsillos. Saca varios cartuchos para el Spencer y se los guarda, luego se dirige a la barra, coge la botella de wisky y se dirige hacia la puerta. Se hace a un lado y la abre de una patada. Deja en el suelo el rifle y la botella y empieza a recargar el Schofield mientras habla a voces desde dentro.

MUNNY.–Voy a salir de aquí... y al primer mamón que vea ahí afuera, le pego un tiro... y si alguno se atreve a dispararme, no sólo le mataré a él, sino también a su mujer y a todos sus amigos, y luego le pegaré fuego a su puta casa... ¿está claro?

La pistola está ya cargada y se la mete en el cinturón. Toma un buen trago de la botella de wisky y se seca el líquido que le gotea por la barbilla. Luego coge el rifle con la otra mano y sale por la puerta.

102. EXT. CALLE PRINCIPAL/GREELY'S - NOCHE

La calle está oscura y silenciosa. Edificios en sombras, caballos atados, un par de ANTORCHAS clavadas en el suelo que CHISPORROTEAN.

MUNNY (FUERA DE CUADRO).–Será mejor que nadie me dispare, porque haré lo que he dicho... puede que cosas peores. Soy un maldito forajido, y ni en el infierno encontraréis un tipo más malvado.

Munny avanza cautelosamente y mira en torno suyo. Todo lo que ve son las sombras de las casas y lo único que escucha es el sonido de sus propias botas sobre la tarima del porche. Observa intranquilo la mirada fija y vacía de los edificios a oscuras. Pasa junto al ataúd puesto en pie en el que destaca horriblemente el rostro cerúleo de Ned a la oscilante luz de la antorcha. Le echa sólo un vistazo. Le gustaría decirle que lo siente, pero la idea le parece morbosa, y abandonando el porche camina en dirección a la yegua blanca.

103. EXT. CALLEJON - NOCHE

W.W. Beauchamp, Charley Hecker y Joe el alemán están agazapados en un callejón entre dos casas. Charley tiene un rifle. Ven cómo Munny monta su caballo.

> JOE EL ALEMÁN *(murmurando).*–Venga, mátale.

Chaley niega con la cabeza y ofrece el rifle al alemán. Éste lo rechaza.

> JOE EL ALEMÁN.–Yo no soy aiudante de comisarrio.

W.W. contempla estupefacto los torpes y persistentes intentos de Munny por subir a la yegua. No puede creerlo, no puede creer que el Viejo Oeste sea esto, y su expresión lo dice bien a las claras.

104. EXT. CALLE PRINCIPAL - NOCHE

Munny avanza al trote a lo largo de la oscura y solitaria calle mientras grita a pleno pulmón:

> MUNNY.–Será mejor que enterréis al viejo Ned como Dios manda... y que no os dediquéis a acuchillar a las rameras ni les hagáis daño... o volveré para matar más hijos de puta. ¿Entendido?

Por las mejillas de Munny ruedan las lágrimas.

105. EXT. CABAÑA - DIA

Es de día y Penny está barriendo la puerta de la cabaña de Munny en Kansas. Está concentrada en su tarea hasta que esucha el RELINCHO de un CABALLO. Alza la vista y abre la boca de par en par. Su rostro se ilumina como el sol. Deja caer la escoba y se echa a correr hacia él.

PLANO DE MUNNY

Munny camina por el prado con las riendas de la yegua en la mano. Está cubierto de polvo y sin afeitar por el largo viaje. Penny corre hasta él y le rodea con los brazos. Él se siente emocionado, pero sólo sabe expresarlo a través de su torpeza y embarazo.

MUNNY *(cariñosamente).*—¡Estás hecha una señorita !

Le echa el brazo al hombro y ambos se dirigen hacia la casa.

106. EXT. CORRAL DE CERDOS - PLANO DE WILL - DIA

Está con los cerdos, ensimismado en su trabajo.

MUNNY.—El lugar tiene buen aspecto.

Will se vuelve y ve a Munny, en pie junto a la casa. Su primer instinto es echar correr hacia él, pero recuerda que debe mantener su dignidad y permanece en su sitio como un hombre, aunque la alegría está a punto de descomponer su expresión.

WILL.—Hola, papá.
MUNNY.—Supongo que habrás perdido algunos cerdos por culpa de la fiebre.
WILL.—Tres.
MUNNY.—¿Sólo tres? No está nada mal dadas las circunstancias.

Will no cabe en sí de orgullo y placer. Se reúne con su padre y entran juntos en la casa.

WILL.—Vino ese tipo... Tom.
MUNNY *(deteniéndose).*—¿Tom?
WILL.—Ese con el que te fuiste... el que tenía la pistola...
MUNNY.—Ah, Kid...
WILL.—Pero esta vez no llevaba pistola.

107. INT. CABAÑA - DIA

Will y Munny están en la cabaña y Will rebusca en el fondo de un gran montón de paja.

MUNNY *(preocupado).*—¿Dijo algo... Kid...?
WILL *(rebuscando).*—¿Tom? Sólo que si... que si tú... no volvías en una semana... *(serio)* ...que le llevaría la mitad del dinero a Sally y le diría que tú...
MUNNY *(con tono amable).*—Bueno, he vuelto, ¿verdad?

Will ha encontrado las alforjas. Munny se acerca, las abre y de ellas caen monedas de oro y fajos de billetes.

> WILL (*preocupado*).–¿Has... has...?
> MUNNY (*contando el dinero*).–¿Qué?
> WILL.–Todo este dinero... quiero decir que... ¿lo has...?
> MUNNY (*sigue contando*).–¿Robado? No, no lo he robado.
> WILL.–No... quiero decir...
> MUNNY (*se vuelve hacia él*).–¿Qué?
> WILL.–¿Has ma-matado a alguien?
> MUNNY.–¿Quién ha dicho eso?
> WILL.– Na-nadie... como cogiste la escopeta y esa pistola y...
> MUNNY (*rodeando con el brazo el hombro de Will*).–Antes de conocer a tu madre, que Dios tenga en Su gloria, yo solía ser... era una especie de... bebía alcohol, me metía en peleas y cosas así. Ella me hizo ver lo equivocado que estaba y... ya no soy así.
> WILL (*aliviado*).–Entonces no has matado a nadie.
> MUNNY (*con gran esfuerzo*).–No, hijo, no he matado a nadie.

108. EXT. TUMBA - DIA

La tumba de Claudia bajo los árboles y Munny que se dirige hacia ella. Puede escucharse MÚSICA, o quizá solamente el sonido del VIENTO. ROTULOS EN PANTALLA, CUERPO GRANDE:

"Se casaron en St. Louis en 1870 y viajaron hacia el norte, a Kansas donde él se hizo granjero y criador de cerdos. Ella le dió dos hijos en los ocho años de matrimonio y cuando murió, no fue a manos de él como su madre había esperado, sino de viruela."

PLANO DE MUNNY
Vemos su rostro, que no expresa ni sentimientos sencillos ni grandes emociones. Se limita a mirar la tumba. Vuelven a aparecer los ROTULOS EN PANTALLA:

"Unos años más tarde, la señora Ansonia Feathers realizó un complicado viaje hasta Hodgeman County para visitar el lugar donde su única hija había hallado el reposo final".

PLANO DE LA TUMBA

Vemos la lápida mientras CONTINUA LA LEYENDA:

"Hacía tiempo que William Munny había vendido la propiedad y había desaparecido con los niños... algunos decían que en dirección a San Francisco, donde se rumoreaba que había prosperado como comerciante de telas con un nombre distinto".

PLANO CORTO DE LOS OJOS DE WILLIAM MUNNY

Son los ojos de un esposo, y los de un criador de cerdos, y los de un hombre que ha matado a cinco tipos en un bar de Big Whiskey.

ROTULOS:

"Y la señora Feathers no encontró en aquella lápida nada que le aclarase por qué su única hija se había casado con un conocido ladrón y asesino, un hombre depravado y violento".

FIN

ENTREVISTA CON DAVID WEBB PEOPLES

Dwight Porter

¿De qué idea partes al escribir *Sin perdón*?

Bueno, no se puede hablar de una idea. Creo que las dos cosas que de verdad me empujaron en esa dirección una fue *Taxi Driver*[1], que creo que es algo estupendo para todos los guionistas; el guión de Schrader tiene verdadera fuerza y cambió el modo de hacer películas en América. Creo que es algo maravilloso, y hay una frase en particular que me marcó: cuando Travis Bickle está solo en su habitación y se le oye decir para sus adentros "quiero ser un hombre como los demás" o "quiero ser una persona como cualquier otra" (no recuerdo exactamente las palabras), pero era un pensamiento muy profundo, que realmente expresaba un tipo de angustia, de aislamiento y soledad que encontré muy fuerte. Hay mucho de William Munny en esa frase. Y luego otra cosa que me dejó k.o. fue cuando leí un libro alucinante de un escritor llamado Glendon Swarthout —alguno de sus libros se han llevado al cine. Este libro en concreto se llamaba The Shootist y era una novela muy, muy fuerte y sombría. Su hijo escribió un guión a partir del libro que luego se convirtió en una película. Era una película encantadora, muy bonita, una especie de película de San Valentín en la que salían John Wayne y Jimmy Stewart y Lauren Bacall y Ron Howard, todo viejas glorias. También se llamaba *The Shootist*[2] y no es que fuera mala —era estupen-

---

(1) Martin Scorsese, 1976.

(2) Don Siegel, 1976, El último pistolero.

da– pero no reflejaba la fuerza y la oscuridad de la novela. Este libro me marcó, por eso creo que hay mucho de él en *Sin perdón*. Me influyó un montón y disfruté muchísimo leyéndolo. De ahí salió todo.

El título...

El título original de *Sin perdón* (*Unforgiven*) era The Cut Whore Killings (Los asesinatos de la puta cortada). Es el que puse cuando terminé de escribir el guión en 1975 o 1976 –hay que tener en cuenta que hasta que no salió *Blade Runner*[3] no se me conocía como guionista, y era difícil que alguien leyera mis guiones. Cuando finalmente Francis Ford Coppola compró la opción, bueno, The Cut Whore Killings era un gran título para quien hubiera leido el guión, pero un título horrible para quien no lo hubiera leído. Así que seguimos buscando títulos mejores y acabamos sacando un montón. Uno de ellos era Whores' Gold (El dinero de las putas) y otro The William Munny Killings (Los asesinatos de William Munny).

¿Serías capaz de reconstruir el proceso de creación del guión?

La única anécdota interesante... Tiendo a sentirme mejor cuando escribo desde el sentimiento más que desde algún tipo de idea o concepto; no me siento cómodo con la idea de emprender algo de manera cerebral. Curiosamente, estaba escribiendo por mi cuenta y riesgo e intentaba ganarme la vida por otro lado, así que me quedaba muy poco tiempo para escribir este guión y lo tuve que hacer muy deprisa. Entonces, al llegar a un punto, me quedé bloqueado porque estaba trabajando de un modo mucho más consciente del que me gusta. Entonces me dije "un momento: William está a punto de vérselas con Little Bill Daggett" y todavía no he dejado claro lo malo que es –quiero decir, no lo malo que es, sino qué personaje tan auténticamente fuerte y peligroso es Little Big Daggett.

Tenía que darme prisa, como ya he dicho, y no tenía ningún persona-

---

(3) Ridley Scott, 1982.

je en mente, así que me dije: "¿qué puedo hacer?". Y pensé: "hagámosle británico, eso al menos es interesante", sin darme cuenta, por supuesto, de que probablemente estaba influido por *Mc Cabe and Mrs. Miller*[4], que incluía un maravilloso tipo británico. Pero no lo pensé. Simplemente me dije: "bien, meteré a un inglés" y metí a English Bob, y un montón de cosas empezaron a encajar de manera fortuita. El tema del asesinato del presidente no sé cómo se me ocurrió. Pero de cualquier manera me avergonzaba del personaje y me parecía muy forzado; y que era un punto débil del guión. Y a medida que pasaron los años y la gente leía el guión me comentaba que qué personaje tan bueno era English Bob y entonces pensaba: "vaya, les he engañado con éste; no se han dado cuenta". Pero luego empecé a caer en la cuenta: "pues sí que es un buen personaje, después de todo, y funciona bien", pero para mí, cuando lo estaba escribiendo, estaba cojo, porque resultaba demasiado artificial. Es muy interesante –esa parte del proceso siempre me parece interesante– cuántas vueltas te atreves a darle al tema, cuándo debes dejarlo ya; encuentro interesante todo el proceso creativo e intento no darle demasiadas vueltas, pero lo encuentro fascinante, como una araña o algo así.

¿Qué intenciones albergabas con este guión?

De hecho no tenía, no tenía intenciones; más bien lo contrario: no quería lanzar un mensaje sobre nada, aunque sí tenía un sentido; siempre he pensado que la muerte violenta en las películas se ha trivializado mucho, me parecía algo estúpido y me propuse que en ninguna de las películas que yo escribiese matarían a nadie, hasta que, oh maravilla, vi *Taxi Driver*[5] y pensé: "¡un momento! las películas no tienen que ser triviales ¿no?". Y esa película verdaderamente me inspiró y me conmovió. Entonces me di cuenta de que esta película iba a tener un montón de muertes, pero no quería que fueran triviales, porque no creo que matar a alguien sea algo trivial. Y mientras lo hacía se me ocurrió un truco que me ayudó un poco: decidí que cada una de estas personas tendría distintas razones para matar. William Munny, porque

(4) Robert Altman, 1971, Los Vividores.

(5) Martin Scorsese, 1976.

no tenía tope de velocidad, por así decirlo; simplemente carecía del mecanismo que la mayoría de gente tiene y que hace muy difícil apretar el gatillo. Y Little Bill era la idea que tenemos del prototipo de policía –sentía una gran admiración por él como personaje y sigo sintiéndola–, es decir, es muy racional en lo que hace y cuando va a hacer algo antes se lo piensa; la razón por la que da palizas a todo el mundo es precisamente para no tener que matar a nadie. Su método era intimidar de entrada, para no llegar a una situación que le obligue a matar a alguien. Así que cuando acaba matando a alguien era siempre por este concepto de "ley y orden". Y luego está English Bob. Cuando apareció me di cuenta: "este mata a la gente simplemente por dinero: si se le paga, dispara a quien haga falta. Si no, no se toma la molestia". Así que, en este sentido, los dividí muy claramente por motivaciones. Y éstos eran los tres hombres peligrosos de la historia. Miento, hay otro: Schofield Kid. Kid es un aspirante a asesino, llega a ser un asesino hacia el final de la película y lo hace por el romanticismo y la gloria del tema, aunque luego se arrepiente.

Así que no tenía la intención de transmitir un mensaje o algo parecido. Era un simple drama, una serie de personas que chocan unas con otras, cada una de las cuales tiene, por así decir, una agenda diferente. Y eso siempre hace las cosas emocionantes. Y en uno de estos personajes invertí mucha emoción... me gustan todos, pero William Munny era mi hombre, en el mismo sentido en que Travis Bickle era el hombre de Paul Schrader. Y eso era todo. No tenía intención de transmitir un mensaje ni nada por el estilo, aunque siempre tengo la intención de no transmitir mensajes estúpidos, es decir, de no trivializar la cuestión. Pero aparte de eso, no hay mensaje.

¿Y la acogida de la crítica?

Me quedé muy sorpendido, aunque sólo sea porque nada de lo que habíamos hecho antes tuvo una acogida tan positiva y conocía demasiado bien todos los puntos flacos del guión: cuando estás mucho tiempo trabajando en un guión conoces cada uno de sus defectos y todo lo que no funciona. Y, desde luego, para lo que ahora se estila en cine, tiene demasiado diálogo, es lenta, es preciosista... Yo conocía todos los defectos del guión y también sus aciertos, pero es mejor no regodearse en ellos, porque sabes que nadie los va a apreciar. Por eso me llamó tanto la atención el trabajo tan hermoso que hizo Clint con él. Se implicó en el proyecto más de lo que yo jamás me había implicado; literalmente tenía fe en él y lo sacó adelante de tal modo que la gente viera lo que tenía de bueno. En cualquier guión que haces hay cosas buenas y cosas malas y uno tiene la esperanza de que la gente vea las buenas. Todo el mérito es de Clint y del reparto, y también el maravilloso diseño de producción de Henry Bumstead y del director de fotografía Jack N. Green; sacaron lo mejor que había en él, y eso es lo que la gente vio. Fue una experiencia muy emocionante pero no tenía nada que ver conmigo.

¿Qué se siente al suscitar tanta atención de los intelectuales franceses?

No sé francés, así que es algo de lo que no soy muy consciente. En este asunto hay algo irónico y es que mucha gente la etiquetó como película anti-violencia y me parece irónico y divertido porque la película no era en absoluto anti-violencia. Lo que sí era es no pro-violencia. Creo que, curiosamente, incluso en películas tan amables –y no quiero meterme con estas películas– como *La guerra de las Galaxias*[6] y *Pretty Woman*[7], encuentras personajes buenos que tienen que vencer a puñetazos o a balazos a los malos. Incluso en *Pretty Woman* Richard Gere tiene que darle un puñetazo al malo y toda la película sugiere que hay personas malas y que si les das de puñetazos o les disparas o algo por el estilo, el mundo será un lugar mejor. Ese mensaje está implícito en muchas películas –¡me gustan estas películas, voy a verlas, disfruto un montón con ellas! ¿vale?– pero cuando ves una película de Martin Scorsese, nunca sugiere que la violencia resuelva los problemas del mundo. Sugiere que es algo así como una necesidad que tenemos y eso es lo que Schrader puso en *Taxi Driver*, es lo que se ve en *Toro Salvaje*[8], y creo que es de lo que va *Sin perdón*. No es anti-violencia, es no pro-violencia; no dice que puedan resolverse las cosas

(6) George Lucas, 1977, Stars Wars.

(7) Garry Marshall, 1990.

(8) Martin Scorsese, 1980, Ranging Bull.

y mejorarlo todo matando a una serie de personas, y de hecho eso quedaba un poco más claro con el final original, cuando el niño pregunta a William Munny "¿mataste a alguien?" y él dice: "No, hijo mío". Al final, ya sabes: Clint rodó la escena y lo hizo fabulosamente, pero juzgó que desentonaba y las películas son muy parecidas a la música, así que probablemente tenía razón, la escena desentonaba y la película ya estaba lista para terminar.

¿Qué significó *Sin perdón* en tu carrera?

No sé cómo valorarlo. Pensaba que me iba bien y después, de la noche a la mañana, tiene esta acogida y supongo que ahora me va todavía mejor, de modo que imagino que la gran diferencia, el auténtico cambio, es que, quiero decir, te llegan ofertas, ganas dinero y todo ese rollo. Pero lo cierto es que no me ha faltado curro desde que trabajé en *Blade Runner*, así que todo este tiempo no he tenido precisamente escasez de ofertas. De cualquier manera, creo que tener algo como *Sin perdón* en cartera me da algo más de autoridad cuando estoy en las típicas reuniones. La gente está más inclinada a prestar atención al chiflado del guionista cuando suelta su rollo, aunque no mucho más, no te vayas a creer (ríe). Pero en cualquier caso ayuda, en el sentido de que te da cierto peso cuando hablas con la gente con la que trabajas y ése es el gran plus.

¿Está alcanzando tu trabajo un estilo especial, se mueve en alguna dirección concreta?

No creo, quiero decir, sí y no; quiero decir, no soy la persona más adecuada para hablar de ello, ya que trato de no pensar en todo ese rollo. Es verdad que después de escribir una serie de guiones tú o tus amigos advierten y detectan algunos rasgos. Por ejemplo, hay gente con cicatrices en la cara en más películas mías de las que puedas imaginar e incluso llegué a escribir todo un guión –The Blood of Heroes– que prácticamente va de cicatrices. ¡Supongo que siempre he querido tener una cicatriz de un duelo, o algo así! Pero, por alguna razón, estas cosas pasan y hay cosas que he aprendido a lo largo de los años, como por ejemplo que uno de mis grandes defectos como escritor de evasión es que no me sale demasiado bien hacer a una persona buena y a otra persona mala. Creo, por ejemplo, que *Rocky*[9] es un ejemplo maravilloso de una película entretenida donde no hay nada malo, y eso también pasa con la películas de Truffaut; consigue divertirte un montón sin recurrir a ese esquema de chico malo-chico bueno. No me siento cómodo con ese esquema. Y eso que una vez escribí un guión con tipos buenos y tipos malos –porque el productor y el director me retorcieron el brazo, me dieron martillazos y me patearon y en general me estuvieron presionando durante mucho tiempo para obligarme a hacerlo, y al final el guión me salió estupendo y me encanta. No se ha rodado: se llama *The Vindicators* y ojalá alguien haga la película, porque es maravillosa y entretenida. Me vino bien, porque me ayudó a ponerme en esa situación, cosa que yo no logro por mí mismo. Cuando Jan –mi mujer– y yo escribimos juntos tampoco lo hacemos, lo que pasa es que simplemente no concebimos como malvados a nuestros personajes. Quiero decir que puedes fijarte en alguien y ver su parte oscura, o puedes fijarte –como en *Héroe por accidente*[10]– en su lado bueno . Pero me he dado cuenta de que simplemente no termino las historias con el bueno dando una paliza al malo y presentando eso como la solución de la vida. Supongo que es un acierto y un defecto. Es mucho más fácil divertir a la gente y hacer que se encariñen con alguien cuando hay otro realmente malo.

¿Qué reputación tienes en Hollywood?

No sé qué reputación tengo y ahora que escribo en equipo con mi mujer, ya sabes, David and Janet Peoples, tampoco sé qué reputación tenemos. Eso es algo que los demás saben mejor que nosotros.

¿Cuáles son tus héroes entre los guionistas y escritores?

Tengo muchos héroes entre los guionistas. Alvin Sargent destaca entre ellos, en muchos sentidos, como persona y como escritor. Creo que

---

(9) John G. Avildsen, 1976.

(10) Stephen Frears, 1993.

es fantástico, pero hay muchos escritores realmente buenos por ahí, ¡es apabullante! (ríe). En cuanto a libros, he sido un fan de Elmore "Dutch" Leonard desde que publicó su primer libro *1952 Pickup*. Me encanta su obra. Hay varios novelistas que leo automáticamente cuando tengo un hueco para leer. Uno es Leonard y los otros son Martin Cruz Smith y Robert Stone. Leo otras cosas, pero estos tres son de lectura obligada.

¿Héroes morales?

Supongo que el tipo del helicóptero en Vietnam que le dijo al teniente Calley que tenía que parar la masacre de esa gente. Es el único tipo que se me ocurre. El piloto del helicóptero que aterrizó y puso fin a todo eso. Es verdad que el daño ya estaba hecho, pero ese tipo es un héroe.

¿Qué lugar crees que ocupa *Sin perdón* en la Historia del western?

No estoy al tanto de la crítica intelectual sobre el puesto de *Sin perdón* en la historia del western. Hay una magnífica tradición de lo que podrían llamarse westerns revisionistas, que son precisamente los que me gustan, más, diría yo, que la mayoría de los westerns de Ford. Me gustan un montón los westerns de Hawks. Nunca he sido fan de los westerns de Ford pero soy un gran fan de cosas como *The great Northfield Minnesota Raid*[11] , la película de Phil Kaufmann, un western magnífico, con Robert Duval en una soberbia interpretación de Jesse James. Y *Will Penny*[12] era una película estupenda y otra era *The Culpepper Cattle Company*[13] —me encantaba esa. Y hay otra —*Winchester 73*[14]— que en realidad no pertenece a esta categoría, pero que en mi juventud era uno de mis westerns favoritos, con Jimmy Stewart y Dan Duryea como Waco Johnny Dean, un viejo western en blanco y negro. Luego está otra vieja película en blanco y negro de mi

(11) Phil Kaufmann, 1972, Sin ley ni esperanza.

(12) Tom Gries, 1968, El más valiente entre mil.

(13) Dirk Richards, 1972.

(14) Anthony Mann, 1950.

juventud que me impactó muchísimo, *The Gunfighter*[15], con Gregory Peck. He sido más fan de ese tipo de westerns contracorriente que de los grandiosos westerns tradicionales. *McCabe and Mrs. Miller* es otro. Hay toda una tradición, podríamos decir, de westerns no taquilleros y resulta milagroso que Clint llenara el vacío, porque creo que *Sin perdón* está más en la tradición de los westerns contracorriente que de los westerns comerciales.

Por cierto, no tuve nada que ver con el rodaje, así que me sorprendió que se mantuviera tan fiel al guión. ¡Me dejó de piedra!

¿La película te pareció mejor, peor o diferente que el guión?

Me encantó la película.

¿Hay algo que cambiarías, hasta el punto de que desees de todo corazón haberlo hecho de otra manera?

No, más bien lo contrario: si tuviera que reescribirlo ahora lo arruinaría totalmente. Tuve mucha suerte mientras lo escribía y desde luego tuve muchísima suerte de que fuera Clint quien dirigiera la película y de que hiciera lo que hizo. Es una auténtica rara avis en la industria cinematográfica, en cuanto a que tiene un envidiable sentido de la contención y el coraje de contenerse. Es asombroso. Por eso es una buena película, más que por cualquier otra cosa. Es ese modo que tiene Clint de verlo y de ser fiel a lo que ha visto, de no dejarse llevar por el pánico o tratar de exagerar.

¿Llegaste a conocer a otros miembros del reparto?

Conocí a Frances Fisher, que es simplemente maravillosa. Hace de Strawberry Alice y aporta mucho a esta película. Y luego está Morgan Freeman y Gene Hackman, a quienes conocí después del rodaje. Todo el reparto era estupendo, por ejemplo, Jaimz Woolveelt como the Kid y Saul Rubinek en el papel de W.W.Beauchamp. No había nadie que no

---

(15) Henry King, 1950, El pistolero.

fuera bueno. La verdad es que *Sin perdón* no ha cambiado mi vida. Decididamente fue una de las cosas buenas de mi trabajo, pero no me ha cambiado. Sigo limitándome a escribir películas.

¿Cuál es tu historial personal y profesional?

Nací en Nueva Jersey en 1940 y me crié en Middletown, Conneticut, donde mi padre enseñaba Geología en la Wesleyan University. Estuve trabajando como celador de un hospital cuando conocí a mi mujer, que era enfermera, y ahora los dos somos guionistas. Nos casamos y nos fuimos a vivir a California, donde me puse a trabajar en un periódico y luego como montador de películas. Monté de todo: porno, películas industriales, anuncios de televisión y largometrajes de bajo presupuesto, pero no era lo mío. Era bueno montando, pero no tuve mucho éxito. Sin embargo, sí monté *The Day After Trinity*, que Janet y yo habíamos escrito con Jon Else, que la dirigió. Estuvo nominada para un Oscar de la Academia al Mejor Documental de 1980 o 1981. Es un clásico sobre Robert Oppenheimer y la bomba atómica y estamos muy orgullosos de él. Monté otra película que llegó a ganar el premio al Mejor Documental en 1978, que se llamaba *Who Are The Debolts* (*And Why Do They Have 19 Kids?*).

Mi mujer y yo escribimos juntos *12 Monkeys*. Debería estrenarse en Europa en marzo. También escribimos *The Grabbers*, y si sale adelante lo dirigiré yo mismo. Ahora estamos en las primeras fases de redacción del guión de *To the White Sea*, una novela de James Dickey, el autor de *Deliverance*[16]. Tenemos un montón de guiones por ahí sueltos: algunos vendidos, algunos en el cajón. Es como un jardín lleno de semillas: no se sabe si florecerán o no.

¿Cuáles han sido tus principales obras producidas?

Coescribí *Blade Runner* (en colaboración con Hampton Fancher). Luego coescribí *Leviathan*, protagonizada por Peter Weller, director George Pan Cosmatos. También escribí y dirigí *Blood of Heroes*[17], con

---

(16) John Boorman, 1972, Defensa.

(17) 1990.

Rutger Hauer, Joan Chen, etc. Más tarde escribí *Héroe por accidente* (Dustin Hoffman y Andy García). Me encantaba la obra pero no tuvo demasiado éxito (una cosa es el mercado y otra la película). Laura Ziskin y Alvin Sargent me propusieron una idea para la historia y entre los tres la fuimos desarrollando, pero el guión lo escribí yo solo. Fue emocionante simplemente el hecho de trabajar con Alvin Sargent porque es uno de los escritores más grandes de todos los tiempos. Es el rey.

Y ahora saldrá *12 Monkyes*, que escribimos Jan y yo.

¿Cómo empezaste como guionista?

Monté un largometraje de bajo presupuesto para un tipo que había escrito el guión y pensé "creo que podría dedicarme a esto". Mi principal motivación era superarme, pero cuando me puse a ello estaba como un tonto con una tiza: había descubierto que eso era lo que me gustaba hacer. Así que aunque no llegué a cobrar un duro por esta actividad durante casi ocho años, seguí haciéndolo porque descubrí que era lo que me hacía sentir bien. Quiero decir que era duro, era un trabajo duro y tenía sus momentos difíciles, pero era la que quería hacer realmente.

¿Cuáles son esos momentos difíciles?

En casi todos los guiones que he escrito —y creo que son unos 25— cuando llego hacia la mitad me parece que es un desastre y que nunca debería haber empezado, que debería estar haciendo cualquier otra cosa, que he cometido un tremendo error y que es horrible. Pero, por supuesto, lo que acabas aprendiendo es: primero, que tienes que acabarlo, que simplemente no puedes abandonar; y, segundo, que no estás en condiciones de juzgarlo. Desgraciadamente, a veces tienes razón y el guión es una mierda. Pero también es verdad que a veces no es una mierda y no hay manera de distinguirlo, así que se trata de un proceso muy difícil. Por esa razón tengo que escribir muy deprisa, o por lo menos escribía muy deprisa cuando no cobraba, porque tendía a perder la confianza y la fe en lo que estaba haciendo, porque hay momentos de enorme desesperación.

134

Curiosamente, en *Sin perdón* el momento de máxima desesperación llegó después de que hubiera terminado todo el primer pase o
borrador. Normalmente trato de no ver ninguna película cuando estoy
escribiendo, o por lo menos ninguna relevante en cualquier aspecto,
pero por esa época salió una película llamada *The Missouri Breaks*[18]
y era el único western que había salido en algún tiempo, y pensé que
debía verlo. Y la película era interesante, no es que me chiflara, pero
era una película interesante, sólo que en un momento dado disparan
a un tipo en una letrina y pensé: "¡Dios mío, me han jodido! Si dejo
esta escena en mi guión, todo el mundo pensará que la he copiado y
será mi ruina". Estaba desesperado. Volví para acabar el guión y pensé:
"me resulta imposible eliminar esto". En la otra película era sólo un
detalle de ambiente. En mi película tenía un sentido preciso: era la
única manera en que podían encontrar al chico con la seguridad de
pillarle. Por supuesto, acabé la película hundido en la desesperación
y pensé que todo el mundo iba a pensar que era un plagio de *The
Missouri Breaks*. De hecho, yo no podía saber entonces que el guión
tardaría diecisiete años en rodarse, que nadie lo compraría durante
siete años y que muy pocos lo leerían. Pero es lo que pasa cuando estás
escribiendo. Estás a mitad de camino y piensas: "¡Dios mío, todo el
mundo ha escrito este guión. Dios mío, todos los proyectos son iguales que éste y ya están circulando!". Y te invade el terror. Aún me pasa.
Cuando empiezas, siempre estás emocionado y animado y aún no ves
los problemas. Pero luego te vas acercando a la mitad y todo se convierte en una pesadilla. Y luego, cuando vas llegando al final, no es
que pienses necesariamente que es un buen guión, pero al menos
piensas que ya lo vas a acabar y sacas un poco de energía de esa idea,
de que al menos habrá una pila de folios terminada. Y puedes decir
"escalé esta montaña", aunque luego sólo haya un McDonald's en la
cima. Pero es acongojante y difícil, y eso es lo que diferencia a la gente
que escribe guiones de la gente que no los escribe. Tienes que atravesar ese valle de lo que sea.

(18) Arthur Penn, 1976.

FASCINACIÓN DEL MITO Y PODER DEL RELATO
Una evocación de William Munny
a la sombra de Robert Kincaid

Carlos Losilla

En *Los puentes de Madison* (*The Bridges of Madison County*, 1995), la última realización de Clint Eastwood, el mito alcanza su estatura más humana. Desde el momento en que Robert Kincaid aparece ante los asombrados ojos de Francesca Johnson, hasta aquel otro en que ella le ve por última vez en su vida, parapetada en el coche de su marido en un triste día de lluvia, el arquetipo mítico del "loner" americano, el solitario vagabundo descendiente de los cowboys, se ve sometido a una implacable y sistemática demolición de sus atributos originales. Al principio, Kincaid es una figura autosuficiente, sin fisuras, un fotógrafo que recorre el mundo sin intención alguna de echar raíces, simplemente contemplándolo con su cámara y repartiendo su afectividad amorosa entre cuantas mujeres sepan apreciarla: nada parece afectarle, su condición –como se encarga de subrayar la novela original de Robert James Waller– es la de "uno de los últimos cowboys", "una visión surgida de un libro jamás escrito"[1]. En su último contacto visual con Francesca, en cambio, cuando ella decide continuar viviendo con su marido y con sus hijos y renunciar a irse con él, Robert ya se ha convertido en lo que parece ser la sombra de sí mismo: totalmente empapado, con el rostro desfigurado por la lluvia, es ya sólo un amante

---

(1) Robert James Waller, Los puentes de Madison County, Barcelona, Emecé, 1994, págs. 99 y 39, respectivamente.

rechazado y abandonado, un hombre común con sentimientos y debilidades, lejos, muy lejos del fascinante icono del principio.

Sin duda alguna, este proceso debió de ser lo que más interesó a Eastwood del guión de Richard LaGravenese: el desmoronamiento del mito, su enfrentamiento con la realidad, su conversión en algo puramente humano, todo ello contemplado desde el punto de vista de la cotidianeidad, representada aquí por el personaje de Francesca. En efecto, a diferencia de la novela de Waller, en el guión todo aparece visto desde la perspectiva de la protagonista, de manera que es su propia visión la que magnifica o humaniza las situaciones observadas. Al principio, cuando ve por primera vez a Robert desde su porche, lo convierte automáticamente –para nosotros, los espectadores–, en el arquetipo del Aventurero y el Amante; al final, cuando lo contempla por última vez desde el coche de su esposo, ya le ha arrebatado todos sus atributos míticos, reduciéndolo a un pobre hombre dubitativo e implorante. De la misma manera, la pastosa luminosidad de las secuencias iniciales se convierte poco a poco en una penumbra densa, fantasmagórica, casi tenebrosa, que ilustra con implacable autoridad el paso del mito a la cotidianeidad, del sueño a la realidad.

Se trata de un discurso, de alguna manera autodestructivo, que Eastwood ya venía gestando desde la excelente *El fuera de la ley* (*The Outlaw Josey Wales*, 1976). Pero no es hasta *Sin perdón* (*Unforgiven*, 1992) cuando la reflexión alcanza su plenitud, se encarna en temas y personajes no sólo absolutamente coherentes entre sí, sino también germinativos de lo que vendrá después, *Los puentes de Madison* incluido: no en vano Eastwood compró los derechos del guión ya en 1982, precisamente cuando acababa de dar o estaba dando los pasos más decisivos y arriesgados en su carrera como director, léase *Bronco Billy* (*Bronco Billy*, 1980) y *El aventurero de la medianoche* (*Honky Tonk Man*, 1982)[2]. David Webb Peoples, el autor del texto, había participado también en la redacción del guión de *Blade Runner* (*Blade*

---

(2) "Una lectora de la Warner Bros. –dice Eastwood– me dijo que Coppola tenía la opción [del guión]. Me gustó tanto que decidí contactar con el autor para que colaborara conmigo en otro proyecto. Llamé a su agente y me enteré de que la opción de Coppola había caducado hacía dos días, así que, por mi parte, cogí otra opción. Esto sucedió en 1982-1983. Tenía otros proyectos, pero adquirí los derechos y me lo guardé en reserva. Los años pasaron y llegó mi ocasión: ya tenía la edad del personaje y el papel me iba como anillo al dedo." En "Le sujet idéal pour le dernier des westerns", entrevista con Michael Henry en Positif, 380, octubre de 1992, pág. 8.

Runner, 1982), de Ridley Scott, y luego sería el responsable del script de *Héroe por accidente* (*Hero*, 1993), la vitriólica comedia de Stephen Frears, dos narraciones cinematográficas, sobre todo la segunda, también centradas en el asunto de la mitificación de la realidad y sus consecuencias: como el del film de Frears, también el guión de *Sin perdón* se dedica a rastrear la fascinación que los mitos ejercen en la vida cotidiana y en las personas que se nutren de ellos, siempre en el contexto de la especial sensibilidad norteamericana al respecto.

Al hilo de este razonamiento, hay dos significativos apuntes sobre el tema contenidos en el guión de Peoples que luego no aparecen incorporados en la película de Eastwood. En el primero de ellos, el único flashback del texto escrito, se nos muestra al protagonista, William Munny, quince años más joven y cometiendo una de sus incontables fechorías: "...un caballo terriblemente ensangrentado relincha agonizante en silencio. El único sonido que se oye es el de la noche, el cobertizo y la lluvia cayendo, aunque nada de esto palía la agonía del animal mientras el látigo cae sobre su cabeza y sus ojos. Vemos a un hombre joven que le azota despiadadamente con un látigo. Es Munny quince años más joven. Es una escena increíblemente cruel y perversa... porque así es como él era y eso es lo que recuerda"[3]. En la segunda variante, ya al final de la historia, Peoples se dedica a relatar el significativo reencuentro de Munny con su hijo: el muchacho le pregunta si ha tenido que matar a alguien para conseguir el dinero que trae y Munny le dice que no. Por si fuera poco, mientras Eastwood finaliza su narración, cíclicamente, con una imagen lejana de la tumba de Claudia Munny, Peoples inserta, entre la masacre de Big Whiskey y esa visión final, dos planos de Munny: un primer plano de su cara ("Vemos su rostro, que no expresa ni sentimientos sencillos ni grandes emociones. Se limita a mirar la tumba") y un primerísimo plano de sus ojos ("Son los ojos de un esposo y los de un criador de cerdos, y los de un hombre que a matado a cinco tipos en un bar de Big Whiskey")[4].

Resultan evidentes las razones por las que Eastwood eliminó estas referencias: son demasiado redundantes, sólo se dedican a subrayar lo

---

(3) David Webb Peoples, guión original de la película, mecanografiado, revisado con fecha 10 de agosto de 1995, escena 63.
(4) Ibíd., escena 108.

que ya se desprende fluidamente del resto del texto, es decir, los temas de la violencia y la imposibilidad de evitarla, el peso del pasado sobre el presente y la visión de un Oeste, en fin, construido sobre el terror y la sangre. El hecho de que Eastwood, finalmente, no incluyera estas escenas en su película refleja a la perfección su sentido de la economía y del pudor narrativos, pero no significa en modo alguno que no influyeran en él a la hora de leer el guión. Muy al contrario, son de ese tipo de apuntes perfectamente prescindibles una vez visualizada la película en pantalla pero, a la vez, decisivos en la explicitación del tema sobre el papel. ¿Y cuál es ese tema? Una visión metafórica de la violencia, sí, pero también, como hemos visto, una reflexión sobre el mito. Y es de estas dos partes del texto ausentes de la película de donde mejor podemos partir para descubrir la verdadera naturaleza del guión de Peoples, su amplitud de miras, mucho más allá de lo más fácil y evidente, y su perfecta coincidencia con —al menos— la última parte de la filmografía de Eastwood.

Veamos. ¿Por qué, para empezar por el final, Peoples inserta esa secuencia tan explicativa antes del epílogo? ¿Por qué esa insistencia en algo que ya ha quedado tan claro al final de la escena anterior, cuando Munny afirma: "Soy un maldito bastardo y no encontraréis a otro peor en todo el infierno"? Evidentemente, obligar a decir eso al personaje después de que haya matado a varios hombres no es lo mismo que enfrentarlo a su hijo y hacer que le mienta respecto a ese mismo acontecimiento, pero sí refleja una actitud similar: el protagonista se ha visto obligado a volver a su pasado y a reconvertirse en el "bastardo" que fue una vez[5], del mismo modo que se ve obligado a mentir a su hijo para salvaguardar su imagen de pater familias redimido. Aparentemente todo sigue igual, pero la verdad es que William Munny es ahora un verdadero esquizofrénico, y eso es lo que intenta subrayar Peoples con los dos planos de su rostro que siguen a la escena con el niño: un hombre aparentemente "sin emociones", pero a la vez un hombre que, simultáneamente, es un granjero viudo y un ase-

(5) Richard Combs apunta que sus palabras finales en Big Whiskey sugieren claramente "lo absurdo de su leyenda, la exageración de su reputación", y que incluso las pronuncia "con inexorable resignación". En "Shadowing the Hero", Sight and Sound, 2/6, octubre de 1992, pág. 16.

sino, alguien que no ha conseguido ni labrarse un presente ni desembarazarse de su pasado. Ese es, en efecto, el núcleo del discurso más superficial del guión, la reflexión sobre la violencia y sus secuelas, pero también la esencia de su destilación más extrema: el estatuto y el lenguaje del mito en una realidad en construcción.

En este sentido, las intenciones de Peoples están un poco más ocultas. Munny, como Robert Kincaid, es el mito que se destruye a sí mismo, el asesino sanguinario que al final se revela simplemente un pobre diablo atrapado por su pasado, un pacífico granjero obligado por las circunstancias a retomar la violencia de su juventud[6]. Los dos planos finales que propone el guión, así, serían equivalentes a la imagen de Kincaid empapado, bajo la lluvia, en *Los puentes de Madison*: hemos penetrado en la verdadera esencia del mito y hemos comprobado que en su interior sólo existe un hombre como los demás. Y, por su parte, la escena con el niño cumpliría la misma función que la mirada de Francesca desde el coche: el testigo-cómplice del espectador a través del cual este último se entera de la verdadera naturaleza del personaje. Teniendo en cuenta que el guión de *Sin perdón* está estructurado de una forma binaria, con un acusado paralelismo entre las escenas referentes a la más mísera realidad (la situación actual de Munny y sus amigos) y la posibilidad de renacimiento del mito (Big Whiskey entendido como lugar arquetípico de la violencia fundacional del Oeste), no es de extrañar la inclusión de esas dos escenas por parte de Peoples: la primera, la de Munny con su hijo, sería la "respuesta" a la gran masacre de Big Whiskey, la recolocación del supuesto mito en su más miserable cotidianeidad; la segunda, la de los primeros planos, actuaría a modo de síntesis, a la vez la tragedia y la necesidad del mito, es decir, su condición de distorsionador de la realidad y, simultáneamente, de indispensable motor para el avance de la civilización, como en las películas de Ford.

Esta función del mito se basa, pues, en la mirada de los otros, una mirada en la que también puede caber una imagen distorsionada del mismo. El sentido del mito, podría decirse, depende del observador, y

(6) "Es incluso lícito –como afirma Antonio Weinrichter– pensar que el mito ha engordado de forma desmesurada lo que pepetró realmente", en "Sin perdón: convocar al diablo", Dirigido, 205, septiembre de 1992, págs. 32-33.

de ahí que la escena del guión de Peoples eliminada de la película, la escena de Munny con su hijo, sea, en el fondo, la equivalente de otras muchas, o de otros muchos personajes del propio film, del propio texto. Tenemos, de este modo, dos grupos de observadores: los que, como los niños o la esposa india de Ned, contemplan el mito con distancia y respeto, y aquellos otros que se manifiestan absolutamente fascinados por él, como, por un lado, Schofield Kid, y, por otro, y de otra manera, Little Bill. A partir de ahí, el escritor, W.W. Beauchamp, sería algo así como el fiel de la balanza, el que pretendería fijar el mito "objetivamente" para la posteridad, mientras que tanto Ned Logan como English Bob simbolizarían su destino más trágico, el envejecimiento y la muerte.

Todos los personajes giran, pues, alrededor del mito legendario de William Munny, y por eso no es de extrañar que el guión se inicie con una escena de apelación, de llamada, de invocación: se produce un hecho que reclama la presencia del mito, en este caso la agresión a una prostituta por parte de unos vaqueros, la sangre que llama a la sangre, el ojo por ojo y diente por diente. Aunque en el fondo es el mismo caso que –de nuevo– *Los puentes de Madison*, donde la aburrida vida del ama de casa de Ohio clama por la materialización del mito del Amante Aventurero, o que *El jinete pálido* (*Pale Rider*, 1986), donde los abusos de los terratenientes fuerzan la literal aparición del Pistolero Reverendo, o incluso que *Un mundo perfecto* (*A Perfect World*, 1993), en la que el estrecho universo del muchacho protagonista reclama insistentemente la clásica figura paterna del Malo/Bueno. A partir de esa llamada de atención, todos los demás personajes se distribuyen a través del tablero de juego en función del personaje mítico, una estrategia que en *Sin perdón* adopta caracteres casi geométricos.

En el guión de Peoples, pues, tenemos dos maneras de contemplar el espacio y, en función de ellas, dos maneras de contemplar el hecho mítico. Por un lado, la figura simbólica de la casa: el texto empieza y termina con dos referencias escritas en pantalla a la casa de Munny, el lugar en el que se ha refugiado tras su sangrienta carrera y la muerte de su esposa. Además, otro personaje básico para la película, el sheriff Little Bill, se está construyendo él mismo una casa, aunque nunca podrá terminarla. Ned Logan, otro ex asesino colega de Munny, también ha sentado cabeza en una casa, junto a una mujer. Y el burdel de Big Whiskey, el lugar que desencadena la acción, aparece descrito como la imitación de un hogar, la falsa reproducción de lo que debería ser una casa: "seis pequeñas habitaciones" con las paredes muy finas, de manera que desde cada una de ellas "se puede escuchar perfectamente lo que ocurre en los otros cuartos"[7]. Por otra parte, lo opuesto a la casa, a la civilización, es decir, los espacios abiertos y la vida errante. Cuando Munny y Ned deben hacer frente a su nueva "misión", salen de su casa y atraviesan praderas y montañas, la llanura virgen que les conducirá al lugar de la barbarie. Pero es English Bob el personaje más representativo en este sentido: aparece y desaparece del texto en un medio de transporte (el tren, la diligencia), y la única vez que le vemos en un interior resulta ser en la cárcel, en una celda, también el simulacro de una casa.

En función de estas dos visiones del espacio, los personajes establecen sus relaciones con respecto al mito, definido así como un nexo simbólico entre naturaleza y civilización. Y la casa de Little Bill es la metáfora por excelencia de esta situación: siempre inacabada, con sus goteras y sus chapuzas, es la mejor representación que concebirse pueda de una transición imperfecta, la que Little Bill intenta realizar con respecto a su vida anterior. Es igualmente el caso de Munny y Ned, que viven en casas incompletas o poco sólidas, también metafóricamente hablando: en la primera, es evidente la ausencia de la figura de la mujer; en la segunda, la relación con ella no parece ser un modelo de igualdad y justa correspondencia. Como en el prostíbulo de Big Whiskey, la civilización que se está construyendo a partir de estos modelos inacabados es también, ella misma, imperfecta, parece tener una idea equivocada de la necesidad del mito. Schofield Kid, un joven aprendiz de matón, se deja llevar, al principio, más por la idea que se ha hecho de Munny que por la realidad que tiene delante de sus narices. El hecho de que Little Bill no pueda acabar de construir su casa, en el fondo, no es más que la consecuencia de su anclaje en el pasado, como queda demostrado cuando conoce al cronista W.W. Beauchamp: una escena le muestra contándole anécdotas entusiasma-

(7) David Webb Peoples, cit., escena 1.

do, mientras las goteras van inundando su casa lentamente. English Bob es la caricatura de todo esto, un tipo grotesco y teatral, de maneras ampulosas y exageradas, que pertenece ya claramente a una raza en extinción. Y Munny y Logan, por su parte, se sienten tan atraídos por su propio mito, que no pueden resistirse a beber de nuevo en sus fuentes. Las consecuencias son, para todos ellos, devastadoras[8].

El personaje de Beauchamp, en este sentido, es básico para toda esta serie de estructuras binarias que dominan el texto, pues participa equitativamente tanto de la tendencia hacia la barbarie como de la tendencia hacia la civilización: es un escritor que explica historias violentas, un señoritingo que vive entre hampones, un cobarde remilgado que se atreve a hablar sobre la violencia y la crueldad. Esta condición fronteriza se pone, sobre todo, de manifiesto en la escena que transcurre en la cárcel, en la que Beauchamp aparece estratégicamente situado entre English Bob, encerrado en la celda, y Little Bill, que parece fascinado leyendo la historia de El Duque de la muerte: la cultura y la barbarie, la ley y el desorden, todo parece converger en su punto de vista y en su persona(je). La escena termina con el cronista mirando "... estupefacto, mira primero a English Bob y luego a Little Bill"[9]. Volvamos, pues, al tema de la mirada, y esta vez con el acento metanarrativo aún mucho más marcado. Como en el caso de Francesca en *Los puentes de Madison*, él es el focalizador de la atención del espectador, algo así como el "narrador fantasma" del relato, pero lo que realmente importa es la superstructura que se forma por encima de esa perspectiva. En otras palabras: en *Los puentes...*, Francesca es la narradora real, con lo que el relato central de la película es claramente su creación; aquí, Beauchamp sólo participa en algunas escenas, pero su condición de cronista, la circunstancia de que sea uno de los supervivientes de la matanza final y —muy sutilmente— el carácter hiperliteraturizado de las inscripciones iniciales y finales hacen pensar en él como narrador externo —transformado y redimido por la experiencia— de la historia que cuenta la película. El hecho de que, en

---

(8) Véase el artículo de Nicolas Saada, "La poursuite infernale", en Cahiers du Cinéma, 459, septiembre de 1992, págs. 22-25: "Para protegerse de esta realidad, el Oeste (y América) debe crearse sus relatos y sus historias, llenos de mentiras en su mayor parte" (pág. 24).

(9) David Webb Peoples, cit., escena 41.

el propio guión, Peoples abandone finalmente a Beauchamp "(...) estupefacto los torpes y persistentes intentos de Munny por subir a la yegua", de modo que " (...)no puede creerlo, no puede creer que el Viejo Oeste sea esto, y su expresión lo dice bien a las claras"[10], nos lleva a ver que ese trance reconvierte toda su visión del Oeste, dando como resultado la historia de William Munny tal y como se nos cuenta en el texto. Como en el caso de *Los puentes de Madison*, pues, también el guión de *Sin perdón* es una reflexión sobre el hecho narrativo: de cómo las narraciones construyen mitos, de cómo esos mitos influyen en las personas y de cómo esas personas reaccionan ante esas influencias.

Todo esto confirma que la estructura del guión de *Sin perdón* va mucho más allá de la de un simple western "crepuscular". Se trata, como siempre, del final de una época y el principio de otra nueva, de la lenta conversión de la naturaleza salvaje en civilización, y, como consecuencia, de la "deconstrucción" de muchos de los arquetipos humanos e ideológicos del género, pero, en este caso, tanto el abordaje del mito como el tratamiento narrativo son más complejos que todo eso. La aparición del western crepuscular coincide, en efecto, con los primeros síntomas de la decadencia del sueño americano: a principios de los años 60, el final de la era Eisenhower y la progresiva implicación del país en conflictos externos de carácter cada vez más incomprensible para la mayor parte de los norteamericanos hacen que, a lo largo de toda la década e incluso a principios de la siguiente, los relatos nacionales de carácter autorreferencial, con el western a la cabeza, den muestras de crecientes dosis de pesimismo. En este sentido, y por ceñirnos a la filmografía del propio Eastwood, *El fuera de la ley* constituiría su western crepuscular por excelencia. ¿Cuál es el motivo, sin embargo, de la aparición de una película como *Sin perdón* más de quince años después? ¿Qué vio Eastwood en la "crepuscularidad" del guión —escrito, por cierto, a mediados de los años 70— como para provocarle deseos de resucitar el concepto en una época en que los tiros del género, y nunca mejor dicho, iban ya por otro lado muy distinto? Sin duda, no sólo el tratamiento narrativo del mito, sino también, y

---

(10) Ibíd., escena 103.

quizá sobre todo, su capacidad alegórica, su facilidad para conectar con sus viejas obsesiones de siempre.

Volviendo a *Los puentes de Madison* –verdadera summa de la carrera de Eastwood, transparente resumen de toda su obra y, por ello, también hilo argumental de estas páginas–, el enfrentamiento entre la figura mítica de Robert Kincaid y la focalización espectatorial que representa Francesca da como resultado tanto una evidente reflexión sobre la idea de la familia americana como una más atrevida especulación sobre la esencia de América como país. En el primer sentido, el grupo familiar, pilar del sueño americano en los westerns clásicos de Ford, reaparece aquí como un nido de frustraciones y enquistamientos afectivos, el lugar del vacío y el aburrimiento desde el cual se reclama, como decíamos antes, el retorno del mito, de la pasión y de la aventura. Esa llamada, sin embargo, no supone, y valga la redundancia, la mitificación del mito, sino, muy al contrario, el desvelamiento de sus limitaciones y de las carencias del grupo social que lo ha creado, entendido ya en un sentido amplio. Por una parte, y como producto de una comunidad humana específica –y aquí entraría el segundo sentido: América como país–, el mito responde siempre al estado de ánimo de esa misma comunidad en el momento de la re-creación. Por otro, una sociedad que necesita desesperadamente del mito es una sociedad que no ha sabido aceptar su realidad. En *Los puentes de Madison*, la decadente y gris sociedad norteamericana de los años 50 –que Eastwood y sus guionistas, en más de un momento del film, equiparan maliciosamente con la actual– sólo es capaz de crear un mito debilitado, humanizado, en absoluto todopoderoso o legendario. Y, como consecuencia, acaba revelándose como un grupo humano en descomposición, incapaz de afrontar su realidad con las armas adecuadas: al final, el poder del relato –otra gran tradición del arte americano– proporcionará algunos signos de esperanza, pero tampoco muchos, pues lo que vemos en pantalla son únicamente deseos y buenas intenciones por parte de los hijos de la protagonista. ¿Habrá servido para algo la narración catártica de Francesca?

En el guión de *Sin perdón*, no obstante, ni siquiera existe el consuelo de la esperanza. La incapacidad de ver la realidad se materializa en símbolos contundentes, inapelables: no sólo la evidentísima miopía de Schofield Kid, sino también las innumerables alusiones a la gente que mira y observa los acontecimientos sin apenas entenderlos, perpleja y asustada, como si fuera incapaz de penetrar más allá de las apariencias, o la gran cantidad de personajes cuya única misión en el texto parece ser la tergiversación de la realidad, como Beauchamp con sus falsos relatos épicos o el propio Little Bill con sus abigarradas evocaciones. Cuando el pasado y la realidad quedan deformados por una visión imperfecta, el mito ya no constituye un vínculo entre éstos y la interpretación del presente, sino que, muy al contrario, se convierte en una mentira de proporciones gigantescas, con los consiguientes y funestos efectos sobre el inconsciente colectivo. A partir de ahí, los relatos resultantes se ven obligados a ser, o bien patrañas, o bien dolorosas negaciones de sus propios puntos de partida. Pues bien, de esta última manera está concebida la estructura narrativa de *Sin perdón*: el tratamiento de los elementos míticos que ofrece el relato consiste en su propia autodestrucción, de modo que también el propio relato se pone a sí mismo en escena descomponiéndose, diluyéndose. Al final, tras los planos del rostro de Munny, que ya no aparecen —recordémoslo— en pantalla, Peoples incluye unas líneas que son también las que cierran la película de Eastwood: "Y no había nada en la tumba que indicara a Mrs. Feathers [la madre de la mujer muerta de Munny] por qué su única hija se había casado con un conocido ladrón y asesino, un hombre de un carácter notoriamente inmoral y violento". Es decir, el misterio del relato, como el misterio del mito, permanece aparentemente impune, pero esta autocita del propio principio del film es también su disección: ahora el espectador ya sabe por qué ella se casó con Munny, simplemente porque la persona de Munny no puede reducirse a la unidimensionalidad del mito que se ha forjado a su alrededor, del mismo modo que los mecanismos de la narración clásica no tienen por qué reducirse a mostrar ese mito, sino que pueden dedicarse también a su análisis. Algo, por cierto, sistemáticamente presente en la mayor parte de los guiones filmados por Eastwood en los últimos quince años.

UN LUGAR EN EL WESTERN

Pablo Pérez

A lo largo de varias décadas, numerosos estudiosos han trazado una crónica de la evolución del western, atendiendo frecuentemente a criterios teleológicos, según la cual el género experimenta un doble momento cenital y una progresiva disolución que camina además paralela a la propia resquebrajadura del sistema de representación clásico. Resulta curioso comprobar cómo este tipo de simplificaciones diacrónicas ha afectado en menor medida al análisis de otros géneros como el melodrama, la comedia o el "fantastique", cuyo devenir ha sido descrito con una mayor amplitud de miras: un desarrollo plural y multiforme en el que diferentes modelos y tendencias eran sustituidos, enriquecidos o prolongados por otros y en el que etapas de florecimiento eran seguidas por otras de menor interés o declive momentáneo. A ello ha contribuido, sin duda, el hecho de que el western constituya un género cerrado en sí mismo, en cuanto responde a la necesidad de actualización (es decir, aplicado fundamentalmente a las "necesidades" colectivas de la Norteamérica posterior a la Segunda Guerra Mundial) de los moldes y arquetipos de la corriente épica tradicional, estandarte de valores universales y portadora de códigos narrativos y dramáticos fuertemente delimitados.

Creemos, sin embargo, que, aun siendo en parte cierto este análisis cronológico, las cosas fueron más ricas y complejas. Ni el western fue durante muchos años el género monolítico que muchos creyeron ver en él, ni su proceso de desintegración puede ser reducido a la aparición de una supuesta crepuscularidad que, a lo largo de los años sesenta, alertó sobre la falta de vigencia de un género entonces contemplado como difusor de una ideología conservadora e imperialista y, por ello, deconstruido en cuanto tal. Los materiales épicos fueron reinterpretados con cierta saña, aunque hay que reconocer que el proceso había comenzado ya años atrás —en muchos casos con mayor profundidad y acierto fílmico— y que la mayor parte de estos "westerns crepusculares" se preocupó por reconstruir los ingredientes más superficiales del universo mítico del género, en especial los que se refieren a los atributos externos del héroe.

Lo que sí parece evidente es que el western había vivido un proceso de transformación sobre su centro de gravedad desde comienzos de los años cincuenta, especialmente a través de la introducción de la ambigüedad en un orden tan cerrado como el clásico y en un cosmos tan inmutable como el de un género épico. Las fisuras habían sido abiertas ya en películas como *Espíritu de conquista* (*Western Union*, Fritz Lang, 1941), *The Ox-Bow Incident* (William Wellman, 1943), *Fort Apache* (John Ford, 1948) o *Cielo amarillo* (Yellow Sky, William Wellman, 1948), y removidas en su epidermis "ideológica" por un film imprecisamente considerado como pionero de ciertas reivindicaciones o "relecturas" críticas y revisionistas del Far-West como *Flecha Rota* (*Broken Arrow*, Delmer Daves, 1950).

La figura del héroe aparece como "víctima" de todo este movimiento, en la medida en que se erige en el sujeto motor de los relatos y en portavoz de todo su sustrato. Pero más que ante una renovación en la constitución de los materiales épicos (evidente en la transformación del héroe de una pieza clásico hacia un hombre atormentado y herido moralmente que vivirá, en penitencia recurrente, una especie de segunda oportunidad), estamos ante un desplazamiento de la mirada propio de todo periodo manierista, que afectará a todos los géneros en menor o mayor medida. No se trata sólo, por tanto, de que los nuevos héroes westernianos de los años cincuenta vayan sufriendo una evolución en su "fisonomía moral" y en su propia comprensión de los fenómenos que acontecen frente a ellos y ante los que deben tomar partido ético, sino, ante todo, de la forma en que la cámara capta sus gestos rituales y los presenta al espectador.

Por poner tan sólo un ejemplo, *Raíces profundas* (*Shane*, George Stevens, 1953) no aparece en este panorama como un western renovador por su pretendida revisión de la leyenda, a la que se subordina literal y conscientemente; su carácter canónico en este proceso viene determinado por haber alterado, subjetivizado, la visión del héroe a través de una doble mirada que, aun siendo en direcciones complementarias, presenta a Shane sometido a dos pasiones de signo casi contrario. Por un lado, el niño Joey lo contemplará, ya desde su llegada a la casa, como un ser de pura raigambre mítica, ratificando en su mirada admirativa —identificada fílmicamente con la del espectador—, y siempre en contrapicado, su condición heroica; su madre Mary Anne, sin embargo, no verá en el forastero a ese ser genérico y anónimo del que hablan las crónicas, sino a un hombre a través del cual consigue verificar las grandes carencias en que halla sumida su vida y su matrimonio con Joe Starreh. La llegada de Shane al hogar familiar introduce, en su concepción fílmica y de puesta en escena, algunos elementos de ruptura: el sistema clásico del comienzo del film (un jinete avanzando desde el fondo del encuadre, el cruce metafórico del río, el plano contrapicado que lo presenta al espectador...) se ve parcialmente quebrado con la doble mirada que se dedica al héroe: una frontal, del admirado y excitado Joey, y una segunda de Mary Anne, en escorzo, parapetada tras el marco de la ventana. Hijo y madre se disputan la supremacía del punto de vista: el épico y el melodramático, respectivamente.

La enunciación de la palabra melodrama nos conduce hacia uno de los territorios por los que circulará el western durante los años siguientes. El héroe, en virtud de la selección efectuada con respecto al momento de su aparición en el relato (un instante en el que está ya padeciendo los efectos de un pasado tormentoso —y esto nos aproxima ya, en primer término, al Will Munny de *Sin perdón*—), es presentado como un hombre que sufre, que arrastra una grave herida del pasado, es decir, como un ser dotado de psicología[1]. Esta huella emergería de forma traumática en *Busca tu refugio* (*Run for Cover*, Nicholas Ray, 1955), *El vengador sin piedad* (*The Bravados*, Henry King, 1958), *Hombre del Oeste* (*Man of the West*, 1958), *El árbol del ahorcado* (*The*

[1] Como comentaba sardónicamente Budd Boetticher, había llegado la hora de "sentar a los personajes en el diván del psicoanalista".

Hanging Tree, Delmer Daves, 1959) o el ciclo de Budd Boetticher para la Ranown, en enunciados construidos en función de cierta articulación melodramática, cercana en muchas ocasiones a la melancolía[2]. Una contaminación favorecida por el hecho de que tanto melodrama como western son dos géneros que reposan en un enorme (no siempre complejo) entramado simbólico y alegórico.

Esta redefinición del héroe sirve fundamentalmente para comenzar a mostrarlo no ya como un ser excepcional en un mundo de estructuras inmutables, al que fuerzas invisibles ayudan en su lucha y aseguran su triunfo, sino como un hombre comprometido en un combate personal en el centro de una sociedad susceptible de ser modificada[3]. Pero, curiosamente, este proceso evolutivo que se convierte en centro matriz del western de los últimos años cincuenta será parcialmente demolido por el llamado "crepuscular" o sus derivaciones bajo el signo del spaghetti-western europeo —Sergio Leone de forma especial— a lo largo de la década siguiente.

Precisamente, y con la excepción de los filmes de algunos de los supervivientes del clasicismo, el género experimentará en los años sesenta una especie de vaciado de los contenidos que le habían enriquecido, en beneficio de nuevas perspectivas que se sustentarán progresivamente en la destrucción del modelo épico, ya sea a través de la parodia, el musical o la comedia, ya sea aprovechando la decrepitud física de los viejos actores del periodo clásico (Joel McCrea, Randolph Scott, John Wayne, Robert Mitchum, James Stewart) o a partir de nuevos criterios y nuevas ópticas. En definitiva, todos estos modelos proponen un distanciamiento voluntario con respecto a los materiales del mito, aunque no siempre fundamentado en una supuesta lejanía de perspectiva sobre el mismo. De hecho, los westerns a los que aquí interesa aludir —los realizados por Sam Peckinpah, Don Siegel o Sergio Leone— son plenamente conscientes no únicamente de estar reinterpretando los códigos genéricos, sino ante todo de estar recreando inte-

---

(2) "Toda 'historia de amor', en el ámbito del cine clásico, por supuesto, exige una construcción melodramática, cuando menos fragmentaria. Un personaje totalmente autosuficiente no puede amar; es necesaria, por tanto, la carencia (...) Se introduce así la biografía, el tiempo como herida: ya es posible el personaje melodramático", Jesús G. Requena, "Cuerpo a cuerpo", Contracampo, número 20, marzo de 1981, p. 40, n. 9.

(3) Ver Jean-Louis Rieupeyrout, La grande aventure du western. Du Far-West à Hollywood (1894-1963), Éditions du Cerf, Paris, 1964, capítulo "Une nouvelle définition du héros", pp. 332-336.

150

lectualmente (y por tanto, desmontando) el conjunto de ritos que había compuesto la todavía entonces cercana poética westerniana.

Los relatos del clasicismo se habían declarado tácitamente, en sí mismos, portadores de sentidos con aspiración universal, y lo habían hecho aprovechando la ingenuidad que parecía manar de ellos, una especie de inercia significante que permitía una lectura diáfana, no mediatizada, de sus estructuras. Los nuevos westerns de los sesenta asumirán la clausura definitiva de esa ingenuidad épica y se sumirán, de forma general, en la construcción de una liturgia espectacular muchas veces cercana al paroxismo. El aludido distanciamiento vendrá expuesto en la conversión de cada uno de los actos propios del rito (el duelo, la negociación, la cabalgada, la visita al saloon o al prostíbulo, el crimen, el tiroteo, el atraco) en una artificiosa sacralización manierista y en una hipertrofia formal derrumbadas por completo en lo morboso. Los gestos semánticos, cada vez más vacíos de contenido, caen de lleno en la retórica, un recurso poco frecuente en el fenómeno épico.

Paralelamente, el western encuentra en el filón revisionista un virtual acomodo a los nuevos tiempos y a los nuevos gustos cinematográficos, propiciados también por la suavización de la censura. El espectador se topará con una nueva imagen del Far-West, lejos del impoluto universo descrito durante el clasicismo[4]; la desmitificación de los viejos arquetipos pasaría por el afán por hurgar en las fisuras más patentes, aunque esta afición no se manifestaría de igual forma en los últimos westerns de John Ford o Howard Hawks (cimentados en una ironía vitalista: *Eldorado*, Hawks, 1966, su ejemplo más lúcido) que en los de Peckinpah o Leone, empeñados en ofrecer la imagen más rastrera, sucia y demoledora propia de la contra-épica.

En este contexto de colisión entre la pervivencia de los modelos clásicos y el nuevo formalismo manierista, un film vino a situarse en el eje mismo de la dialéctica. *El hombre que mató a Liberty Valance* (*The Man Who Shot Liberty Valance*, John Ford, 1962) sembró de coherencia este fructífero periodo de confusión; partiendo de unos

(4) Para la reconstrucción crítica de la historia de la vida cotidiana en el Far-West se recomienda la lectura de Hans von Hentig, Estudios de psicología criminal VI. El desperado: contribución a la psicología del hombre regresivo, Espasa Calpe, Madrid, 1966 y H.J. Stammel, La gran aventura de los cow-boys, Noguer, Barcelona, 1975.

materiales claramente emparentados con los luego utilizados por David Webb Peoples en el guión de Sin perdón, Ford planteaba un irónico debate entre la democracia y la naturaleza épica, recurriendo a un artificio ajeno al género como el flash-back. El film advertía, por tanto, sobre el hecho de que alcanzar la leyenda sólo era posible echando la vista al pasado desde el presente (el del senador Stoddard y su acción política) entroncado ya con la historia viva, por mucho que ésta permanezca, al final, en el anonimato. Dos detalles nada pomposos, por encima de todo el planteamiento dialéctico entre la ley y la naturaleza humana, actuarían como sembrado en el devenir de un género que, inconscientemente, ya no podría pasarlos por alto. El primero es la forma en que el héroe de la función es presentado, in absentia, al espectador; la primera vez que la cámara muestra a Tom Doniphon es el plano en que Ransom Stoddard se acerca al modesto ataúd de madera que contiene su cadáver. Esta negación preliminar del espíritu épico convierte la caricatura del William Munny de Sin perdón luchando en la porqueriza para controlar a sus cerdos febriles en una ostentosa esperpentización de una condición ya sabida. El segundo detalle, que hace referencia a la complejidad estructural de El hombre que mató a Liberty Valance frente a la transparencia de los anteriores westerns de su director, es la necesidad de recurrir a un flash-back dentro del flash-back para enfrentar la leyenda a la realidad o, por decirlo de otro modo, el héroe (Doniphon) a su usurpador (Stoddard). Esta reduplicación del momento soberano del relato ilustra con sutileza la disolución de la épica individual, por cuanto el héroe, quizá por vez inaugural en el género, se erige en voz narrativa y debe relatar en primera persona lo acontecido dirigiéndose, más que a su "doble", al destinatario/espectador.

Si traemos a colación la trascendencia de El hombre que mató a Liberty Valance en relación al western posterior, y en especial en su vinculación a Sin perdón, no es sólo porque ambos filmes pivoten alrededor de un mismo tema (la difícil supervivencia de la leyenda sobre las evidencias de la historia), y que éste se haya convertido en el eje central del género en las tres últimas décadas. Es innegable que el efecto motor que ejerce el primero sobre el segundo se deja traslucir en el fondo de numerosas secuencias de la película de Eastwood:

aquélla en la que el sheriff Little Bill desmonta al reportero W.W. Beauchamp el relato que de sus propias acciones había efectuado Bob el Inglés –convirtiendo hazañas gloriosas en deleznables crímenes–, las frecuentes negativas que Munny debe efectuar a las interpelaciones de otros personajes sobre sus actos del pasado o la leyenda que Kid se auto-fabrica –dice haber matado a cinco hombres y no es cierto–. Pero la veta que realmente abre *El hombre que mató a Liberty Valance*, y que *Sin perdón* desarrolla sin demasiada compasión, es la presencia del héroe que se niega a sí mismo como tal, que se autoconciencia del hecho de no serlo hasta el punto de desplazarse voluntariamente de las raíces del mito.

En suma, la gran novedad del western de los últimos decenios consiste en hacer de la figura heroica un ser que se sabe perteneciente a un ámbito determinado, en oposición a los relatos clásicos, que manifestaban la dimensión épica en la configuración interna de los personajes, sin que ellos fueran conscientes de estar insertados en la misma: el saber provenía únicamente de elementos narrativos. En cierto sentido, los nuevos héroes no son otra cosa que lectores de su propio itinerario que, por tanto, intentan manipular, negar o subrayar. Ello conlleva que los textos estén plagados de numerosos sobreentendidos, a través de los que los personajes pretenden comunicarse con el receptor (en cuanto experto decodificador) y no con los demás personajes del drama. No faltan, así, justificaciones narrativas que apelan a que determinadas elecciones son asumidas no por motivos internos, sino por imposición tácita de los moldes genéricos. En un margen no demasiado ajeno a esta inercia extranarrativa se sitúa, por ejemplo, la aceptación por parte de William Munny del encargo de asesinar a los cowboys, poco verosímil –desde una perspectiva naturalista– por cuanto el antiguo pistolero no precisa ya de tal acción para verificar una regeneración ya consumada. Simplemente, "así son las cosas"; el protagonista, pues, deviene un auténtico prisionero no ya del destino, sino del conjunto de su precedentes en el código.

Eso es precisamente lo que *Sin perdón* se encarga de poner en evidencia desde sus planos iniciales. Una voz narrativa externa –la sobreimpresión de unas frases introductorias en tercera persona, referidas a la esposa de William Munny, ya fallecida– simplifica al espectador la información acerca de un hecho del pasado del protagonista que resultó determinante para su evolución: "Era una joven atractiva y no sin oportunidades matrimoniales. Por consiguiente, a su madre le partía el corazón que se casara con William Munny, un conocido ladrón y asesino, un hombre de un carácter notoriamente inmoral y villano. Cuando ella murió no fue a manos de él, como había esperado su madre, sino de la viruela. Esto ocurrió en 1878".

Estas palabras, en apariencia, vienen a orientar falsamente al espectador sobre la focalización narrativa del relato que comienza. No será, evidentemente, Claudia Feathers Munny (de la que no en balde se silencian aquí todavía su nombre de pila y su apellido de soltera: sólo se afirma su condición de esposa de William) la protagonista del relato, pero esta introducción verbal advierte de cuál va a ser la presencia soterrada que canalizará el itinerario moral de Munny conforme se vaya desplegando la narración. En realidad, la configuración del personaje no difiere demasiado de la ya comentada caracterización de protagonistas iniciada por los westerns de los años cincuenta. En esencia, William Munny presenta rasgos comunes con los atormentados Joseph Trail de *El árbol del ahorcado*, Link Jones de *Hombre del Oeste*, el propio Shane o los héroes viudos del aludido ciclo de Budd Boetticher. Simplificando algo las cosas hasta un esquema común, estamos ante pistoleros sanguinarios regenerados –generalmente por la acción purificadora de una presencia femenina ("Mi esposa me curó... de la bebida y de la maldad"), la "diosa" de la que habla Joseph Campbell[5]– que viven una segunda oportunidad al recuperar sus viejas cualidades asesinas para ponerlas ahora al servicio de una causa en apariencia "justa". Esta nueva oportunidad abierta por unas circunstancias hostiles ostentará un poder igualmente catártico, al conseguir cerrar de forma definitiva la herida mal cicatrizada: de ahí la presencia constante del pasado y sus huellas en cada uno de los recovecos del relato.

(5) "La mujer, en el lenguaje gráfico de la mitología, representa la totalidad de lo que puede conocerse. El héroe es el que llega a conocerlo. Mientras progresa en la lenta iniciación que es la vida, la forma de la diosa adopta para él una serie de transformaciones (...) Ella lo atrae, lo guía, lo incita a romper sus trabas. Y si él puede emparejar su significado, los dos, el conocedor y el conocido, serán libertados de toda limitación. La mujer es la guía a la cima sublime de la aventura sensorial", Joseph Campbell, El héroe de las mil caras. Psicoanálisis del mito, Fondo de Cultura Económica, México, 1972, p. 110.

Este choque entre pasado y presente llega en *Sin perdón* en el preciso momento en que la cámara muestra a Munny revolviéndose en su porqueriza. En último término del encuadre, un joven jinete le espeta: "Usted no parece un asqueroso y odioso hijo de perra asesino sin entrañas"; esta hiperbólica carta de presentación reafirma el carácter de extrañamiento del héroe en el medio en que se desenvuelve, inusual en el intersticio que media entre la disolución del western clásico y el film que nos ocupa (pensamos en películas como *Forajidos de leyenda*, *The Long Raiders*, Walter Hill, 1980; *Silverado*, Lawrence Kasdan, 1985; *Bailando con lobos*, *Dancing with Wolves*, Kevin Costner, 1991; o incluso *El jinete pálido*, *Pale Rider*, Clint Eastwood, 1985). Porque la puesta en marcha de todo el aparato imaginario, integrado en la cultura audiovisual del espectador, está informando realmente de todo lo contrario: por lo que éste intuye o conoce ya de él, probablemente Munny está más cerca de ser un asqueroso y odioso asesino hijo de perra que un honrado granjero criador de cerdos.

El aludido extrañamiento confiere a *Sin perdón* un carácter espectral y fantasmal, olvidado a su vez desde algunos de los últimos westerns de Peckinpah, en la línea más cínica de *Quiero la cabeza de Alfredo García* (*Bring Me the Head of Alfredo Garcia*, 1974). No conviene olvidar que David Webb Peoples construyó su guión a mediados de los años setenta, en plena eclosión revisionista. Para entonces, el género se les había escapado de las manos a muchos creadores que se dejan llevar por la fiebre ultraviolenta en un movimiento de inercia imparable hacia el fin del universo legendario. Una frase pronunciada por el explorador McIntosh en la espléndida *La venganza de Ulzana* (*Ulzana's Raid*, Robert Aldrich, 1972) –"teniente, sería mejor que dejara de odiar y comenzara a pensar"– viene a suplir con lucidez el amargo pesimismo en el que se había derrumbado un género que ya no era el síntoma de una civilización segura de sí misma y de sus inquebrantables valores morales: la epopeya (siempre apoyada en los conceptos de gloria y honor), en cuanto género didáctico, sólo tiene lugar para el optimismo.

La fecha de redacción del guión de *Sin perdón* no debe ser pasada por alto, por cuanto Clint Eastwood, que lo adquiere para Malpaso en 1985, respeta su estructura y diálogos durante el rodaje y el montaje de 1992 hasta en los detalles menos sustanciales[6]. En este sentido, no parece banal preguntarse dónde cabe encuadrar, atendiendo a los criterios que hasta ahora se han esgrimido (estructura narrativa, descripción psicológica del protagonista, aspiración ideológica del relato), el film: si en el momento en que se gesta (mediados de los setenta) o cuando se convierte en texto fílmico (comienzos de los noventa). Lo que sí parece claro es que la influencia de la situación del western durante el primero resulta determinante en el segundo, y que si *Sin perdón* es lo que es se debe a un ejercicio de reflexión genérica efectuada casi dos decenios antes.

Por ello, no debe resultar extraño que el film, al contrario que otros de sus colegas contemporáneos (*Bailando con lobos*; Tombstone, George Pan Cosmatos, 1993; *Wyatt Earp*, Lawrence Kasdan, 1994, que vuelven a poner en escena, de una u otra forma, una "toma de conciencia"), se dedique todavía a afirmar una premisa ya asimilada: que el Far-West, antes que un espacio fronterizo, casi a la manera romántica (la exacerbada por Raoul Walsh en *Juntos hasta la muerte*, *Colorado Territory*, 1949), en el que la ley natural coexiste y se enfrenta a la ley social, es la historia de una impostura. En pocas películas se miente tanto como en *Sin perdón*: villanos que, como Bob el Inglés, se han construido una leyenda falseada, luego destruida –conversión de Duke, "duque", en Duck, "pato"–; sheriffs que bajo el cobijo de la defensa de la ley ejercen la tiranía y el despotismo más narcisistas; proxenetas que esconden bajo supuestos contratos laborales lazos de reminiscencias esclavistas; un jovencito que inventa un pasado criminal para alcanzar un dudoso status; un supuesto reportero que ha escrito un libro basándose en apreciaciones partidarias, etc... Todo ello contribuye a crear un universo de falacia permanente, en el que Munny, a la contra, llega a rebajar el número de cadáveres que sembró en un tiroteo para suavizar su sanguinario carácter del pasado.

El viejo y lejano Oeste no existió. No hubo en él espacio para héroes ni para una comunidad en busca de una nueva Tierra Prometida. Lejos de la supuesta "resurrección del western" de que se habló con

(6) Con excepción de unos breves prólogo y epílogo, Eastwood sigue casi literalmente el trabajo previo de Peoples, no sólo en lo que se refiere a la descripción de situaciones y la configuración de personajes, sino también a la onomástica, la ubicación espacial y la iconografía.

motivo de su estreno, *Sin perdón* confirma su muerte. Más allá de su naturalismo, de su estética oscura y feísta, presenta a un supuesto héroe que siente pánico por la muerte y que evoca al Apocalipsis cuando la ve de cerca, un ex-pistolero que se somete a una dura penitencia (la idea de purgatorio planea sobre toda la narración: "este caballo y esos cerdos se vengan ahora de mí por todo el daño que hice") y se une a un viejo enternecido y a un jovencito arrogante y miope como compañeros en esta segunda oportunidad que resulta tan moralmente discutible –cuando no igualmente rastrera– como las primeras.

Este trío, claramente heredado de los grupos humanos descritos por Howard Hawks en *Eldorado* y *Río Lobo*, no resiste comparación con ellos. Éstos eran una plasmación todavía vitalista del espíritu más decrépito y decadente del Oeste: en *Eldorado*, por ejemplo, un sheriff alcohólico, un pistolero con un brazo paralizado, un joven que no sabe disparar, una saloon-girl retirada y un viejo cazador consiguen mantener en pie el decoro épico gracias a la mirada complaciente y comprensiva de la cámara. Porque Hawks se manifiesta más condescendiente con las debilidades de un género ya anciano que con las de los personajes que pone en acción. En *Sin perdón*, por el contrario, Eastwood se muestra despiadado con el trío protagonista hasta el punto de convertirlo en un espectral y patético batallón en busca sólo de sombras, pues todo lo ha perdido. Y ahí es donde Eastwood-realizador se suma al placaje al género efectuado por Peoples, ausentándose del formalismo heredado de Leone y el último Siegel (a los que, curiosamente, dedica el film) o Peckinpah, o incluso de sus primeros westerns como director, *El fuera de la ley* (*The Outlaw, Josey Wales*, 1976) y *El pistolero* (*The Shootist*, 1977). Eastwood planifica en tono anti-épico, rehuyendo voluntariamente cualquier marca que evoque siquiera a modo de homenaje (en una época plagado de ellos, justificados o caprichosos) las viejas formas fílmicas que sustentaron todo un aparato cinematográfico convertido en institución. Se puede apelar al despojo de la contaminación barroca de sus "maestros"[7], pero no creemos que la algunas veces evocada "vuelta al clasicismo" defina

---

(7) De *Grupo salvaje* comentaba Clint Eastwood en una ocasión: "es un buen film, pero demasiado técnico, se recrea en una especie de ballet de la violencia".

con precisión el ejercicio fílmico propuesto por Eastwood en *Sin perdón*. Sin embargo, esa voluntad por distanciarse de la "mirada épica" conduce al realizador a una contención expositiva más propia del cine negro que del western, en su intento de otorgar a los instantes soberanos del relato el menor énfasis (visual y sonoro) posible –de hecho, cierta atmósfera negra se va apoderando de la película conforme la iluminación sombría, la presencia de la lluvia en su sentido augural y el decorado urbano cobran un mayor protagonismo[8]–. La secuencia del tiroteo al primero de los cow-boys que maltrataron a la prostituta Delilah (estigmas faciales que remiten a los que sufre una colega en *Río Lobo*) pone en evidencia el aludido proceso de contención: el pragmatismo que mueve a los personajes tiene su correlato en una puesta en escena desacralizadora, que acentúa el carácter cotidiano de la acción y evita su dimensión ritual.

Sin perdón, en estas coordenadas, efectúa un paso hacia adelante con respecto a *El jinete pálido*, una cinta más anclada en las raíces que aquí han sido definitivamente arrancadas. En el film de 1985, la liturgia del western era relativamente respetada, por mucho que fuera convertida en una espectacular ceremonia sórdida; la apelación a un "milagro" y la invocación a un pasaje del Apocalipsis provocaba la llegada de un héroe, mitad Dios mitad Diablo, que emergía desde las sombras para cumplir su misión y desaparecer nuevamente en ellas. De estructura más transparente y previsible, El jinete pálido sí escondía en su condición de remake de *Raíces profundas*[9] cierto ejercicio de revisión del género y de su posible pervivencia, pero este trabajo parece una excepción en una filmografía cada vez más empeñada en servirse de determinados moldes preexistentes para ejercitar diversas reflexiones sobre la violencia en el mundo contemporáneo, la verdadera preocupación "autoral" de Eastwood[10]. Así, no creemos exagera-

---

(8) De igual manera, el montaje paralelo, alternante, de dos espacios geográficos, morales y humanos diferentes que terminan convergiendo remite a estructuras narrativas más cercanas al film noir que al western.

(9) Allí, la doble mirada comentada con respecto al film de Stevens se unificaba hasta el punto de que el Predicador era objeto del deseo tanto por parte de Sarah como de su hija Megan: el héroe, primero invocado y luego deseado, expandía ciertas semillas en su recorrido. Curiosamente, William Munny se aproxima más al Ángel Exterminador que este ambiguo reverendo justiciero.

(10) Ver la entrevista a Clint Eastwood por parte de Thierry Jousse y Camille Nevers aparecida en Cahiers du cinèma, número 460, octubre de 1992, pp. 67-68, versión castellana publicada en El país, suplemento "Babelia", número 76, sábado 27 de marzo de 1993, pp. 4-5.

do afirmar que *Sin perdón* es, al menos en algunas de sus aristas más sombrías, una contextualización en la Norteamérica de finales del pasado siglo de las andanzas del "sucio" policía Harry Callaghan, irónicamente revisadas por el propio realizador poco antes en *El principiante* (*The Rookie*, 1990).

Frente al embobamiento de Joey Starreh hacia Shane, los hijos de Munny se preguntan aterrorizados "¿De verdad papá se dedicaba a matar gente?"; más adelante, el protagonista se lamenta de "...lo hijo de perra que pude llegar a ser". Ese permanente regusto por recrearse morbosamente en la maldad pasada de Munny, que en los westerns clásicos se limitaba al terreno de la alusión tácita y velada, termina curiosamente volviéndose en su contra; la redundancia constante resta eficacia a ese planteamiento demoledor del contraste entre el pistolero sanguinario y el honrado y pudoroso granjero. Por ello la cámara de Eastwood, perfectamente consciente de su operación, se afana por trazar un recorrido paralelo al del héroe, un enunciado ajeno al código que cae de lleno en la poesía del crepúsculo, en la conciencia de un mundo resquebrajado. La presencia angular de varios sujetos pacientes viene a llenar de inquietud el entorno de la acción principal: el rostro entre asustado, sumiso y comprensivo de Delilah —la única prostituta que no se rebela contra quienes han deshecho su vida, pues sabe que su destino es ya irreversible—, la implacable actitud de Sally, la esposa india de Ned, que esconde su ira tras su rostro imperturbable... Son esos personajes (a los que la planificación otorga una dimensión considerable, tanto en escala como en duración temporal) que callan, que ponen en evidencia en una rotunda soledad su rebelión pasiva ante un universo hostil y que, en consecuencia, alertan sobre la injusticia del devenir legendario[11]: su sufrimiento es mucho más hondo, más anclado en la tierra, pero jamás alcanzará, en su digna interiorización suprema, la relevancia "literaria" del héroe. Eastwood, en ese sentido, aspira a hacer de *Sin perdón* un ajuste de cuentas en el mosaico moral de un western concebido de forma ya inevitable como la puesta en escena de una injusticia. Finalmente, cede la palabra a William Munny para que éste sacrifique, sin perdón, a quienes

---

(11) Cfr. Miguel Marías, Sin perdón / Manhattan, Libros Dirigido, colección "Programa doble", p. 61.

la han hecho posible; cuando el sheriff Little Bill, herido en suelo, le pide clemencia y le manifiesta que no merece morir así, Munny sentencia, antes de rematarle a bocajarro: "todos nos lo merecemos". El western, definitivamente, se ha convertido en la historia de una culpabilidad colectiva.

SIN PERDON: LA RECONSTRUCCIÓN DEL WESTERN

Mario Ônaindia

Cuando Kevin Costner produjo y protagonizó *Bailando con lobos*, todo parecía indicar, por el notable éxito de público, que se iba a producir el resurgir de uno de los géneros más característicos del cine clásico americano, al que Bazin calificó como "cine americano por excelencia"[1]. Porque al fin y al cabo parecía que se había dado con la clave del éxito. Bastaba con retomar el género en el punto en que lo había dejado John Ford, es decir, en *La última batalla*, en que se respetaban todas las normas genéricas, pero alterando el papel de los personajes. Es decir, se mantiene la contraposición entre el mundo civilizado de la ciudad enfrentado al mundo salvaje, pero los buenos no son los blancos sino los indios. Lo único que había que hacer en todo caso era introducir algunos elementos ideológicos surgidos estos últimos treinta años en que el western ha brillado por su ausencia, como por ejemplo, la ecología.

Esa parece la reflexión que han hecho otros cineastas que han pretendido resucitar el género introduciendo elementos desarrollados estos convulsos treinta años, como el feminismo. No parece otra la aportación de películas como *Cuatro mujeres y un destino* y otras, en las que la mujer adopta roles distintos de los tradicionales (objeto de deseo, esposa, madre o chica de salón, según definió Raymond Bellour[2] y que, salvo en *Johnny Guitar* parecían reservados a los personajes masculinos.

No es esa la vía que sigue *Sin Perdón*. Con esta película Clint

---

(1) BAZIN, André, "¿Qué es el cine?", Rialp.
(2) Bellour, Raymond en Camera Obscura 3/4, 1979.

Eastwood inaugura una vía completamente original que, precisamente por ello, resulta complicado que pueda tener seguidores. Es como si el autor pensara que no se puede volver a los años sesenta en que pereció el género, por una serie de convulsiones sociales (la guerra de Vietnam, el pacifismo, el feminismo, el Mayo francés, etc.) que se llevaron el western como género, esto es, sus estructuras profundas basadas en la bipolaridad ciudad-mundo salvaje, y que su arreglo no podía consistir en mantener la estructura introduciendo algunos elementos nuevos para actualizarlo. Sino en cambiar profundamente la estructura para recomponerla de nuevo. Pero en ningún caso pretendiendo acercarse al género como si nada hubiera pasado durante estos años, sino manteniendo una actitud irónica sobre la tradición e incorporando la problemática del debate del género a la propia película.

Pero el resultado, lejos de ser –como pudiera temerse a primera vista por lo dicho– una película que sólo interese a los seguidores de la "deconstrucción" de Derrida o a aprendices de guionistas interesados en la resurrección del género, es una película que mantiene la fuerza y el vigor de las clásicas, porque –paradójicamente– rezuma sinceridad al haber incorporado los citados elementos. Ya que éstos, lejos de crear una barrera infranqueable entre el espectador y la película al estar recordándole todo el tiempo que estaba viendo un western, quedan como un gesto de sinceridad del autor que reconoce que las cosas han cambiado mucho y no nos podemos acercar al universo del western como si nada hubiera pasado y ofreciendo una visión limpia e ingenua. Porque algo importante ha pasado estos años en que los productores no han querido, los directores no se han atrevido y a los guionistas les ha dado vergüenza escribir una película del oeste.

Y lo que ha pasado ha sido la revolución. Por lo menos en el cine. Ya que la revolución social que anunciaban esos movimientos –ecología, feminismo, pacifismo, etc.– que hundieron la visión del mundo del western, no pudo llevarse a efecto, quizá por definición, porque su componente principal consistía en una reivindicación de los aspectos abandonados por las revoluciones clásicas (la vida privada, las mujeres, las etnias marginadas, la ternura, etc.). Y la revolución en arte tiene un claro precedente: Cervantes.

Quizá a Cervantes le encantaban las novelas de caballerías. *El Quijote* demuestra que las conocía al dedillo. Pero ya no era capaz de escribir las aventuras de Palmerín de Inglaterra o de Amadís de Gaula, como si nada hubiera ocurrido. Pero la introducción de la reflexión que representa la crisis del género en la novela es lo que le da un valor imperecedero. Al menos para los que preferimos la segunda parte, que destroza el mito de que éstas nunca fueron buenas, en la que el resto de los personajes han leido la primera parte y no sólo conocen las aventuras sino que se toman al hidalgo manchego con bastante más seriedad que el propio Quijote. Que es la que quizá habrá servido de inspiración a David Webb Peoples para escribir su guión.

Toda la película de Clint Eastwood tiene un profundo sabor cervantino. No es que recurra a la parodia del género, como el ilustre escritor del Siglo de Oro español[3], pero sí que entierra un género para dar origen a otra cosa. La diferencia entre *Sin perdón* y las otras películas del oeste, incluso las que se han rodado al rebufo del éxito de Bailando con lobos, es la misma que existe entre El Quijote y los libros de caballerías.

Al igual que Cervantes tomó de los libros de caballerías sólo la estructura de viaje del protagonista que tiene que superar diferentes pruebas, así Clint Eastwood mantiene únicamente la estructura de la venganza y el pistolero a sueldo como elementos centrales. Pero ni el mundo sobre el que actúa, ni los personajes tienen nada que ver con el western. También ha desaparecido la mirada ingenua, sin interferencias de la cultura y del pasado, que invitaba a trazar el western como un mundo heroico y prístino en que estaba surgiendo una nueva civilización llena de optimismo sobre su futuro.

Sin perdón es una película que empieza en el punto terminaban los westerns clásicos. Los personajes interpretados por Alan Ladd en *Raíces profundas* o John Wayne en *Centauros del desierto* no logran integrarse en la sociedad debido a su pasado violento y tormentoso y tienen que seguir cabalgando en solitario —como al comienzo de la película, lo que le daba un sentido circular a la historia— por el mundo heroico de la "wilderness" (el mundo salvaje de los indios y los cen-

---

(3) Ver J. A. Maravall, El Quijote como parodia.

tauros, pero también el mundo heroico de la naturaleza sin bridas y el de los héroes desarraigados capaces de resolver los problemas que los humanos no podían con sus propias fuerzas) habitado tanto por foragidos como por indios. Lo que le da un sentido tan especial al título español de "centauros", mitológicamente más profundo quizá que el que se imaginó el traductor español. Porque literalmente, eran unos centauros o gigantes, superhombres, mitad hombres mitad animales que fueron expulsados por los dioses para crear la vivilización de las ciudades: como Gerión en España, vencido por Hércules.

¿Qué habría pasado si alguno de estos héroes hubiera logrado su propósito y se hubiera integrado plenamente en la civilización? Por ejemplo, si Jon Starred (Van Heflin) hubiera muerto en los enfrentamientos con Shane (Alan Ladd), y éste se hubiera casado con la chica? O ¿si, en *Centauros del desierto*, Ethan Edwards (John Wayne) se hubiera casado con su cuñada, de la que se insinúa no sólo que está enamorado, sino que también es correspondido, como sugiere la ternura con que acaricia su capote militar cuando va a guardarlo? Todo parece indicar que éstas son las preguntas que trata de responder Clint Eastwood. De manera que lo primero que aparece en la película es lo que habría ocurrido con estos protagonistas durante estos treinta años en que hemos estado sin películas del oeste en caso de que se hubieran integrado. Pues cabe suponer que en caso de que siguieran su vida errante y aventurera habrían caido en alguna de las muchas emboscadas a las que tendrían que haber hecho frente. Como Cervantes se preguntó qué pasaría si a algún lector de novelas de caballerías le diera por imitar las andanzas de Amadís de Gaula en la España de finales del siglo XVII.

La respuesta es que habrían vivido en un mundo bidimensional de los calendarios de las Cajas de Ahorros. El amor habría congelado el tiempo en un paisaje de perfil, hierático como el arte egipcio, como en las primeras escenas de la película en que vemos la silueta de la casa del protagonista a contraluz del ocaso rojizo. Pero al desaparecer el amor, por la muerte de la amada, en el mejor de los casos, la vida cotidiana se habría vuelto insoportable. Y no precisamente por añorar el mundo muerto de la época heroica, de la que ya no queda ninguna posibilidad de conocer cómo fue de verdad, pues fue una época que sólo se podía aguantar enfrascado en whisky y en la que han entrado a saco los escritores para desfigurarla completamente.

Pero ha desaparecido el principal palimpsesto del western, lo que daba soporte a todo el mundo del oeste y sentido al relato fílmico: ya no hay contraposición entre el mundo civilizado de la ciudad, no sin problemas y corrupciones por cierto, y el "wilderness". Un mundo heredado nada menos que de los "morality plays" medievales, según Jim Kitses[4], y que daba soporte fijo y claro al relato. Un mundo dual, pues, que ha desaparecido junto con el muro de Berlín. Y a la vez que el muro han caido todas las coartadas morales y políticas que ofrecía. Porque los muros no eran sólo para evitar que los alemanes de la República Democrática pudieran escapar al occidente libre, sino también una tapia que ocultaba a los ciudadanos libres el turbio y opaco mundo de los fondos reservados, de la financiación de los partidos, etc., en fin todas esas cosas que teóricamente servían para acabar con el comunismo, y que ahora los ciudadanos piden que se les explique qué se hace con ellos. O si no lo piden, al menos no les importa lo más mínimo que otros lo hagan: fiscales con manos limpias o no, o periodistas que buscan obsesivamente la verdad o simplemente quieran vender más periódicos para lo cual no dudan en recurrir a los mismos sucios medios que denuncian en otros estamentos, o policías arrepentidos no se sabe bien si de andar en las cloacas o de haber cobrado mucho menos de lo que creían merecer, en fin, todo ese mundo que cuando estaba claro quien era el enemigo y dónde estaba, aparecía con el flamante título del 007, permiso para matar en nombre de la reina, nada menos, y no desperataba otro comentario crítico que la sorprendente parafernalia mecánica que utilizaba.

Todas las dictaduras han querido recogerse en ciudades amuralladas, desde el socialismo en un solo país de Stalin, hasta el Franco acosado por los judío-masones-comunistas de la ONU del embargo y el aislamiento. Eso era conocido. Y el que le bastaba ver a Fidel, "al que asome la cabeza duro con él", hablando con profética fruición del embargo de Estados Unidos en Harlem. Pero lo que no era tan conocido era que no era menor la satisfacción de la democracia por vivir con

---

4 Jim Kitses en Genre and authorship.

un enemigo allende las fronteras que obliga a los ciudadanos no pocas veces a mirar a otro lado o, lo que no es peor, a resignarse a la opacidad de ciertas esferas del poder.

Mientras la Unión Soviética se convertía en Rusia y otros países, los indios desaparecen del western, al menos de *Sin perdón*, y los antiguos forajidos (los "outlaws", los fuera de la ley) se han reinsertado. Es cierto que no han ido a vivir a las ciudades, pero no es menos cierto que han abandonado los caballos y se les ha olvidado manejar las pistolas, dedicados a cultivar sus granjas (como Ned) o a cuidar cerdos (como el protagonista Bill Munny).

Unas letras que van subiendo por la pantalla nos presentan el punto de vista de la suegra de William Munny, que no comprende que su mujer se haya casado con un conocido ladrón y asesino. Se recurre a un elemento extradiegético de presentación, como en Solo ante el peligro y tantas películas, pero ahora no se trata de una canción popular que idealiza las hazañas del héroe, sino más bien una parodia de este recurso, pero que plantea algo que quizá al espectador actual le pueda interesar más: las razones por las que los hombres se convierten en centauros, abandonando el mundo de la civilización.

Como decíamos, en la contraposición entre la ciudad y el campo, éste último no sólo representaba lo contrario de la civilización (el salvaje oeste) sino también el mundo de los héroes y de los centauros. Pues bien, también en este sentido ha desaparecido el campo. Ahora es solamente el lugar donde la gente trabaja, bastante miserablemente, por cierto.

En un mundo de estas características, el sheriff no tendría otra labor que dedicarse a construir su propia casa, como si fuera un personaje de los tres cerditos, es decir, la vuelta a la vida privada.

Desaparecida la causa que le mantenía atado al duro trabajo de la granja de cerdos, el amor y la promesa a su mujer, Bill Munny no ve ninguna razón para volver a las andadas cuando se presenta Schofield Kid ofreciéndole unos miles de dólares por matar a dos granjeros que han marcado el rostro de una furcia con una navaja.

Ya no son los honrados comerciantes o granjeros, incapaces de vencer con las armas a los pistoleros o cuatreros o simplemente a los indios, los que solicitan ayuda de un héroe centauro para que les eche

166

una mano. Hombres, al fin y al cabo, que no se resignan a volver a la situación de salvajismo y prefieren pagar a alguien para que emplee la violencia contra los violentos. Son las propias furcias las que desean venganza por el maltrato a una compañera.

El planteamiento del problema no será tan unilineal con en otras películas nuevas del oeste que hemos mencionado al comienzo del artículo. Las putas no son feministas y por tanto no intentarán poner en práctica la violencia autogestionada y vengarse ellas con sus propias pistolas, pero mantienen una concepción de la dignidad que las lleva a rechazar cualquier compensación (como caballos, etc.) que no signifique un castigo similar para el infractor, sino que actuarán como las personas honradas de los antiguos westerns y solicitarán un pistolero. El problema es que los pistoleros, los centauros, han desaparecido hace muchos años.

Al olor del dinero de las chicas del saloon se acercarán dos pistoleros, que serán mutuamente la antítesis: por un lado, el protagonista, Bill Munny (Clint Eastwood). Y por otro, Bob el inglés (Richard Harris), que ni abandonó las pistolas ni se casó cuando desapareció el salvaje oeste, y ha sobrevivido estos años gracias a ser cebo de las falsas aventuras que escribe un biógrafo que lleva siempre consigo. No es que lo lleve siempre consigo, sino que la relación entre ambos prácticamente se ha invertido, pues al final el biógrafo es más importante que el biografiado, como lo que aparece en la prensa (por no hablar de la televisión) es más importante que la realidad, porque ésta durante demasiado tiempo no ha sido importante más que en la medida en que ha figurado en los medios de comunicación.

Bob será, por un lado, lo que habría sido Bill Munny en caso de que no se hubiera retirado a cuidar cerdos: un fantoche obsoleto que va provocando a la gente con sus anticuadas ideas monárquicas británicas o con cualquier otra extravagancia. Pero también será el futuro del protagonista, en el sentido de que lo que le pase a él, le ocurrirá luego en cuanto aparezca en el pueblo. Bob recibe una soberana paliza del sheriff y tiene que abandonar el pueblo, además de perder a su biógrafo que se queda con el sheriff escribiendo una nueva versión de los tiempos heroicos: no será otro el destino del protagonista, al menos en lo que dependa del sheriff.

Mientras, Bill Munny abandona su casa no sin haber constatado que ya es mejor tirador con la escopeta de granjero que con la pistola de foragido, dejando allí a sus dos hijos, y va a reclutar a su Sancho Panza.

Será como el tomo II de *Don Quijote*, cuando todo el mundo había leido la primera parte de sus aventuras y sabía –o creía saber– más sobre el hidalgo de la Mancha que el propio Alonso Quijano. Pero Ned Logan no representa un contraste con el protagonista, porque éste tampoco es un caballero andante ni tiene ningún rasgo idealista para que le sirva de contrapunto.

Ambos, con el joven Kid, se embarcan en la aventura, pero no lo hacen con ningún afán de volver a los tiempos heroicos pasados, que aborrecen tanto como el presente. Los tres lo hacen pura y simplemente por la bolsa de dinero que ofrecen las putas humilladas.

El protagonista será recibido y tratado en el pueblo con los mismos métodos utilizados previamente contra Bob el británico: el sheriff le propinará una soberana paliza. Menos mal que sus compañeros han tenido más fortuna al ir a holgar con las señoritas del saloon. Si alguien pensara de este caso que no siempre se premia la castidad en la vida, el protagonista le respondería –como lo hace con Kid– que "eso no tiene nada que ver", que la vida no tiene ninguna lógica, porque hay una especie de destino o el principio, no por manido menos cierto, de que la violencia engendra violencia.

El protagonista y sus compañeros querrían asesinar a los vaqueros que se merecen un castigo, sin que el resto de la naturaleza ni de la sociedad reaccionara, pero demostrar que eso es imposible es uno de los objetivos de la película.

Ned y Kid ayudan al protagonista a escapar y, junto con las furcias, le curarán de sus heridas.

Primero intentan asesinar a uno de los dos vaqueros que marcó a la puta, lo cual sirve para que Ned constate que ya es incapaz de asesinar a una persona. Pero también para que el protagonista vuelva a matar con el rifle de aquél.

El segundo asesinato lo tienen que cometer entre el protagonista y Kid, que sirve también para que éste compruebe lo difícil que es disparar contra una persona aunque esté en el water y a su merced.

En un tiempo que Steven Seagal, Schwarzenneger, Sylvester Stallone y compañía son capaces de provocar cien muertes por hora, por no hablar de Quentin Tarantino y de la frivolidad de la que hacen gala sus asesinos antes de vaciar los cargadores de sus pistolas, se agradece esta resistencia a disparar que caracteriza a estos personajes. Porque, en el fondo, desaparecido el "wilderness", la muralla principal es la que existe entre quines disparan y los que han renunciado a la violencia, convirtiéndose en lo que Max Weber llama "proletarios de la violencia".

De nada servirá a Ned haber sido incapaz de disparar a un hombre y su deseo de volver a su dulce granja. Las partidas del sheriff le detendrán, le matarán y exhibirán su cuerpo a las puertas del saloon metido en un ataúd. "Una cosa no tiene nada que ver con la otra", dirá el protagonista, conocedor de la falta de justicia y correspondencia entre las acciones y los premios y castigos.

Y esta acción hará que revivan en el protagonista los viejos códigos de los pistoleros. Una vez que haya dado a Kid el dinero pra que cuide de sus hijos, volverá al pueblo para vengarse de la muerte de su compañero Ned. Y de esta manera reconstruye una de las caracterñisticas fundamentales del género: el ser heredero de las tragedias de venganza (*revenge tragedies*) isabelinas, como señala Jim Kitses. Y aquí da la sugerencia de una segunda fuente de la película: Hamlet. Si la tragedia de Shakespeare muestra la dificultad de cometer el asesinato por venganza, eso que resultaba tan gratuito en las tragedias de venganzas, a pesar de que nada menos que el propio padre, no en persona pero sí en fantasma, le indicara que su tío había sido el asesino; *Sin perdón* enseña lo enormemente difícil que resulta el cometer un asesinato incluso en el viejo y salvaje oeste. En cualquier caso, como decíamos antes de *El Quijote*, las tres obras tienen en común el hecho de basarse en la tradición de un género para –contra él: en el doble sentido del abverbio: apoyado "contra" él, "enfrentado" a él– intentar superarlo y trascenderlo, con éxito.

Tendrá que volver a beber –después de haber renunciado tres o cuatro veces a hacerlo a lo largo de la película– para soportar la violencia y para que en su cerebro los hechos queden sumidos en un magma borroso y opaco en que se renuncia a la consciencia.

Volverá al saloon donde recibió la humillante paliza del sheriff y actuará como dicen –él ya no se acuerda– que actuaba en los viejos tiempos. Disparará contra el sheriff y otros cuatro o cinco ayudantes. El biógrafo sólo se preocupará del orden en que disparó para deducir quienes consideraba que eran los mejores tiradores.

El protagonista abandona el pueblo montado a caballo, mientras no deja de llover.

De hecho, el tiempo atmosférico ha sido uno de los personajes más importantes de la película. Desaparecido el mundo salvaje donde se regeneraba la sociedad, porque de allí procedían los centauros o porque los indios la ponían a prueba haciendo surgir una nueva hermandad, ya no hay primavera, el tiempo, ninguno de ellos, es cíclico, sino lineal, o mejor siempre el mismo: un largo e interminable otoño.

Una voz en off nos dice que la señora Ansonia Feathers, suegra de Munny hizo un árduo viaje al condado de Hodgeman para visitar los últimos restos de su única hija. William Munny hace mucho que vendió la granja y desapareció con los niños... algunos dicen que a San Francisco, donde se rumoreó que había prosperado como comerciante bajo otro nombre".

BIBLIOGRAFÍA
Carlos Losilla

SOBRE SIN PERDON

ANDREW, G.   *A History of Western Philosoph"* (entrevista), en *Time Out*, 1148, 19 de agosto de 1992.

ANDREW, G.   *Wrong Guns*, en *Time Out*, 1152, 16 de septiembre de 1992.

COMBS, R.   *Shadowing the Hero*, en *Sight & Sound*, 2 / 6, octubre de 1992.

COURSODON, J.-P.   *Impitoyable: Out of the past*, en *Positif*, 380, octubre de 1982.

DOBBS, L.   *Hommage to Peckinpah*, en *Sight & Sound*, 2 / 6, octubre de 1992.

DOWELL, P.   *Unforgiven*, en *Cineaste*, XIX / 2-3, diciembre de 1992.

FDEZ.-SANTOS, A.   *Clint Eastwood no perdona*, en *El País*, suplemento "Babelia", 5 de diciembre de 1992.

GUARNER, J. L.   *Sin perdón*, en *Fotogramas,* 1791, noviembre de 1992.

HENRY, M.   *Le sujet ideal pour le dernière des westerns* (entrevista), en *Positif*, 380, octubre de 1992.

JAMESON, R. T. y SHEEHAN, H.   *Deserve's got nothin' to do whit it / Scraps of Hope*, en *Film Comment*, XXVIII / 5, septiembre-octubre de 1992.

JOUSSE, T. y NEVERS, C.   *Unforgiven: Entretien avec Clint Eastwood* (entrevista), en *Cahiers du Cinéma,* 460, octubre de 1992.

KEOGH, P.   *Ghostly Presences* (entrevista), en *Sight & Sound,* 2 / 6, octubre de 1992.

MARÍAS, M.   *Sin perdón / Manhattan*, Barcelona, Dirigido, 1995.

McCARTHY, T.   *Unforgiven*, en *Variety*, CCCXLVII / 2, 3 de agosto de 1992.

MONLEON, S.   *Sin perdón*, en *Cartelera Turia*, 5 de octubre de 1992

PAWELCZAC, A.   *Unforgiven*, en *Films in Review*, diciembre de 1992.

SAADA, N.   *La poursuite infernale*, en *Cahiers du Cinéma*, 459, septiembre de 1992.

TIBBETTS, J. C.   *Clint Eastwood and the machinery of violence*, en *Literature / Film Quarterly*, 21, noviembre de 1993.

TORREIRO, M.   *Actualidad de los clásicos*, en *El País*, 28 de septiembre de 1992.

WEINRICHTER, A.   *Sin perdón: convocar al diablo*, en *Dirigido*, 205, septiembre de 1992.

WILSON, W. H.   *The perfect subject for the final western: Clint Eastwood's Unforgiven*, en *Cinema Papers*, 91, enero de 1993.

PFEIFFER, L.
y ZMIJEWSKY, B.   *The Films of Clint Eastwood*, Nueva York, Citadel Press, 1993 (trad. cast.: *Las películas de Clint Eastwood*, Barcelona, Odín, 1994).

SOBRE EL *WESTERN* CREPUSCULAR

RAINEY, B.
y ADAMS. L.   *Shoot-em-ups. The Complete Reference Guide to Westerns of the Sound Era*, Nueva York, Arlington House, 1978, págs. 531-582.

ASTRE, G-.A.
y HOARAU, A.-P.   *Univers du western*, París, Seghers, 1973 (trad.cast.: *El universo del western*, Madrid, Fundamentos, 1976).

GROSS, L.
y AVRECH, R.   *Revisionist Westerns - John Wayne will never be the same*, en *Millimeter*, III / 7-8, julio-agosto de 1975.

BASCOMB, E.   *End of the trail?*, en *Sight and Sound*, LVII / 1, enero de 1988.

BENOIT, C.   *Pat Garret et Billy the Kid. Judge et hors-la-loi. En deux westerns l'itineraire des USA*, en *Jeune Cinéma*, 74, noviembre de 1973.

BERGAN, R.   *The Decline of the Western*, *Films & Filming*, 345, junio de 1983.

BORNET, J.   *Sur le western. The Ghost dance*, en *La revue du cinéma* / 468, febrero de 1991.

BRAUER, R.   *Who are these guys? The movie westerns during the TV era*, en *Journal of Popular Film*, II / 4, otoño de 1973.

CÈBE, G.   *Entre les illusions du passé et les déceptions du présent*, en *Écran 75*, diciembre de 1978.

CLUNY, M. C.   *Chassez le western, il revient au galop*, en *Cinéma*, 178-179, julio-agosto de 1973.

CRESPO, P.   *La revolución del western*, Alicante, ATE, 1973.

EVERSON, W. K.   *The Hollywood Western*, Nueva York, Citadel Press, 1992 (trad. cast.: *El western de Hollywood*, Barcelona, Odín, 1994).

FRENCH, P.   *Westerns*, Londres, Secker & Warburg, 1973.

GILI, J. A.   *Une Amérique crépusculaire*, en *Cinéma 71*, 154.

HARDY , P. (comp.)   *The Western*, Londres, Aurum Press, 1973.

HEREDERO, C. F.   *Del western crepuscular al crepúsculo del western*, en *Al Oeste*, Oviedo, Fundación Municipal de Cultura, 1990, vol. I.

LENIHAN, J. H.   *Showdown: Confronting Modern America in the Western Film*, Urbana, Illinois, University of Chicago Press, 1980.

MARTINI, E.   *Piu cue un rilancio, omaggio al passato*, en *Cineforum*, XXVI / 3, marzo de 1986.

MORAN, A.   *The western in the 70's*, en *Lumiere*, 32, marzo de 1974.

OLDRINI, G.   *Decadenza e crisi del western nella storia odierna deglia USA*, en *Cinema Nuovo*, XXIII / 231, septiembre-octubre de 1984.

SARRIS, A.   *Death of the Gunfighters*, en *Film Comment*, XVIII / 2, marzo-abril de 1982.

SIMMON, S.   *Return of the Badmen*, en *Journal of Popular Film and TV*, IX / 3, otoño de 1981.

SIMMONS, G.   *The Western: New directors in new direction*, en *Film Reader*, 1, 1975.

THOMPSON, A.   *Beyond-the-pale riders*, en *Film Comment*, XXVIII / 4, julio-agosto de 1992.

VIVIANI, C.   *Le western*, París, Henry Veyrier, 1982.

LIBROS SOBRE GUION

M. Vidal Estévez

El oficio de guionista, de John Brady
Gedisa Editorial, Barcelona, 1995
Traducción: José Luis Campos Irujo.

Backstory, Conversaciones con guionistas de la edad de oro,
de Pat McGilligan
Plot Ediciones, S:A., Madrid, 1993
Traducción: José Rodrígues Blázquez, Carlos Rodríguez Trueba,
Cristina Córdoba, Elena Blasco y Antonio Partearroyo.

Las aventuras de un guionista en Hollywood, de William Goldman
Plot Ediciones, S.A., Madrid, 1992
Traducción y notas de José García Vázquez.

El libro del guión, de Syd Field
Plot Ediciones, S.A., Madrid, 1994
Traducción: Marta Heras

El manual del guionista, de Syd Field
Plot Ediciones, S.A., Madrid, 1995
Traducción: Marta Heras

Guía del escritor de cine y televisión, de Irwin R.Blacker
Ediciones Universidad de Navarra, S.A.. (EUNSA), Pamplona, 1993
Traducción: Lillian González Fajardo.

Los tiempos en los que no encontrábamos en nuestras librerías ni un solo manual sobre técnica de guión parecen haber quedado definitivamente atrás. No hace muchos años apanas podían encontrarse otros que no fueran el conocido y muy apreciado *Teoría y técnica del guión cinematográfico*, de John Howard Lawson, traducido a nuestro idioma por el hoy prestigioso y reconocido director cubano Tomás Gutiérrez Alea y editado por el Instituto Cubano del Arte e Industria Cinematográficos en 1963, o *El guión de cine*, de Pedro Crespo, con prólogo de Julián Marías, publicado por Ediciones Iberoamericanas, S.A., en Madrid. En ese entonces, la labor del guionista estaba eclipsada por el estrellato del director y, pese a su importancia, eran muy pocos los que se interesaban por los secretos de la escritura para el cine. Ahora sucede, puede afirmarse, todo lo contrario. La función del guionista ha recuperado el prestigio y el reconocimiento que nunca debió decaer, y el mercado editorial ofrece una cada día más abundante oferta no sólo de los guiones de algunas películas particularmente significativas o exitosas sino también sobre procedimientos y estructuras narrativas así como jugosas entrevistas con quienes los han escrito.

De entre estos últimos se han publicado recientemente entre nosotros dos títulos añorados: *El oficio de guionista*, de John Brady, y *Backstory*, de Pat McGilligan.

VIRIDIANA, en su número 2, correspondiente a febrero de 1992, ya dio noticia de la publicación en inglés del libro de John Brady. Su traducción a nuestro idioma lo hace, no obstante, merecedor de un nuevo recuerdo. No sólo por su interés y amenidad, sino también porque, incomprensiblemente, entre su edición original y la editada entre nosotros hay una importante diferencia: aquélla constaba de seis extensas entrevistas a prestigiosos guionistas americanos y ésta sólo incluye cuatro. Los elegidos para la edición americana fueron Paddy Chayefsky, William Goldman, Ernest Lehman, Neil Simon, Paul Schrader y Robert Towne, mientras que la publicada entre nosotros prescinde de los dos últimos nombres mencionados. Error fatal, a mi juicio, dado que tanto uno como otro cuentan con abundantes seguidores y partidarios entre nosotros, el primero por ser no sólo el autor de los guiones de *Taxi Driver* y *Toro salvaje*, entre otros, dirigidos por Martin Scorsese, sino también guionista de sus propias y no menos importantes películas, y el segundo por ser quien escribió, por ejemplo, *Chinatown*, dirigida por Roman Polanski, o *Shampoo*, de Hal Ashby, dos películas no menos significativas, cada una en su género. De no haber prescindido de ellos, el libro habría ganado en interés y actualidad.

Pese a todo, la edición castellana del libro de John Brady merece la pena. Contiene una interesante introducción de su autor, en la que describe una concisa panorámica sobre cómo se ha percibido la función del guionista a lo largo de la historia del cine, desde ser considerado poco menos que "el felpudo de los estudios de Hollywood" hasta su actual reivindicación, sin olvidar ese periodo de particular oscurecimiento debido a la tan manoseada "política de autores" en alza durante la década de los sesenta. Luego, nos ofrece sus amplias conversaciones con los escritores seleccionados, y de ellas pueden extraerse reflexiones que constituyen una indudable fuente de enseñanzas.

John Brady plantea sus preguntas con gran conocimiento de causa y no poca meticulosidad. De las respuestas que busca y suscita se desprende así no sólo el retrato personal de los estrevistados sino también su actitud frente a los productores y directores, así como sus particulares métodos de trabajo. De esta manera llegamos a conocerles como llegamos a conocer a los protagonistas de una buena novela: casi sin darnos cuenta. Nos solidarizamos con la radical minuciosidad de Paddy Chayefsky, el autor, ya fallecido el 1 de agosto de 1981, de guiones tan apreciados como *Marty*, *Anatomía de un hospital* o *Network*, entre muchos otros. Compartimos el sentido del humor y la lucidez de las agudas respuestas de William Goldman, a quien debemos guiones tan notables como los que avalan a películas del calibre de *Marathon Man*, *Elegidos para la gloria*, *Un puente lejano* o *Dos hombres y un destino*. Percibimos la constancia con que Ernest Lehman defiende sus preferencias a la hora de asumir un trabajo determinado, ya sea para Billy Wilder (*Sabrina*), Alfred Hitchcock (*Con la muerte en los talones*, *Family Plot*), Robert Wise (*West Side Story*), u otros menos pretigiosos pero no menos importantes: *El premio*, de Mark Robson, o *El rey y yo*, de Walter Lang. Comprendemos,

178

por último, la continuidad que existe entre las obras de teatro de Neil Simon y su adaptación para la pantalla, a sabiendas de que, siendo diferentes, a ambos medios le sienta bien una estructura meditada y a ser posible dividida en tres actos, como señalan sus éxitos más clamorosos: *Una pareja chiflada*, *Descalzos por el parque* o *California suite*, entre muchos otros.

Hay algo, no obstante, que menoscaba desagradablemente la enjundia de este libro: su perezosa traducción, ostensible hasta extremos chirriantes cuando se trata de acomodar los títulos originales de las películas a los títulos con los que se han exhibido en nuestras pantallas. No habrá lector atento que deje de irritarse cuando compruebe que *La semilla del diablo* está traducida literalmente como *El bebé de Rosemary*, o *Invasión en Birmania* se convierte en *Los merodeadores de Merril* según el mismo criterio. Una pena, porque los editores deberían saber lo molestos que resultan estos desajustes para cualguier lector cinéfilo, y los despistes que puede provocar en aquellos que se inician en la lectura de libros sobre cine.

Bastante más rigurosa es la edición en Plot de *Backstory*, el libro de Pat McGilligan que también ha visto recientemente la luz en lengua castellana. Su contenido se sustancia igualmente a partir de distintas entrevistas, firmadas por diferentes autores (Peter Brunette, Tina Daniell, John Gillet, Ken Mate, David Thompson, Joel Greenberg y el propio McGilligan), a guionistas que comenzaron a escribir para el cine prácticamente con la implantación del sonoro, hacia finales de los años veinte y principios de los treinta. Por esta razón, el conocimiento que se nos transmite es, además de índole técnica, también historiográfica. Leer las opiniones, los comentarios y las anécdotas que cuentan Charles Bennet (colaborador de Hitchcock durante la década de los treinta), W.R.Burnett (autor y adaptador de novelas tan decisivas como *El pequeño César*, *El último refugio*, o *La jungla de asfalto*), Niven Busch (coguionista de la versión dirigida por Tay Garnett de *El cartero siempre llama dos veces* y autor de *Duelo al sol*), James M.Cain (autor suficientemente conocido de *El cartero siempre llama dos veces*, *Perdición* o *Alma en suplicio*, entre otros títulos), Lenore Coffe (autora de innumerables argumentos y guiones desde 1919 hasta 1960), Philip Dunne (guionista de, por ejemplo,

Qué verde era mi valle, y director de amplia filmografía), Julius Epstein (hermano de Philip G. Epstein y adaptador, a veces no acreditado, de películas tan míticas como *Casablanca* o *Arsénico por compasión*), Frances Goodrich y Albert Hackett (de quienes basta recordar *¡Qué bello es vivir!*, *El padre de la novia*, *Siete novias para siete hermanos* o *El diario de Ana Frank*, para otorgarles la importancia que merecen), Norman Krashna (guionista y productor), Allan Scott (guionista de Gregory La Cava en *La muchacha de la quinta avenida* y *Camino de rosas*), Donald Ogden Stewart (*Mujeres*, de G.Cukor; *Historias de Filadelfia* también de Cukor, entre muchas otras), además de John Lee Marvin, Richard Maibaum y Casey Robinson, es no sólo recorrer el itinerario vital y profesional de cada uno de ellos sino también aprender las pautas de un oficio y constatar la evolución que ha experimentado la escritura de guiones a lo largo de los años. Un libro, en suma, en el que se mezclan las reflexiones profesionales con los recuerdos personales para constituir un mosaico de opiniones y anécdotas siempre provechosas, amenas e interesantes.

Complemento idóneo de estos dos libros de entrevistas es la lectura de *Las aventuras de un guionista en Hollywood*, de William Goldman, editado también por Plot en 1992. Libro absolutamente recomendable por lo instructivo y ameno que resulta, además de por el conocimiento exhaustivo que aporta sobre la trayectoria profesional de su autor.

Más técnicos son los dos volúmenes de Syd Field aparecidos en nuestras librerías en el intervalo de pocos meses: *El libro del guión* y *El manual del guionista*. En ellos se encierra cuanto se necesita saber acerca de lo que bien podríamos llamar "el paradigma industrial de la narración cinematográfica". Leidos uno detrás de otro nos ofrecen casi un curso básico sobre las exigencias fundamentales que requiere adquirir un método que sea útil para la escritura de guiones que ambicionen sujetarse a una estructura tradicional. Podría decirse que si en cualquiera de los libros reseñados anteriormente encontramos reiteradas veces la opinión profesional que afirma que "lo importante es la estructura, y cuando se tiene ésta se tiene todo el desarrollo de la película", en estos dos libros de Syd Field encontramos un buen número de sugerencias pertinentes para adquirir un método que posibilite la elaboración de la susodicha estructura. Esta necesidad narrativa suele aceptarse como algo evidente, pero requiere dilucidación y análisis.

Syd Field nos ofrece ambas cosas a partir de algunas películas cuyos guiones considera modélicos: *Chinatown, Annie Hall, Todos los hombres del Presidente* o *Los tres días del cóndor*, sin olvidar otros títulos igualmente emblemáticos e ilustrativos de algún aspecto concreto a tener en cuenta. De un modo empírico y por sus pasos contados se nos informa de la importancia de un buen comienzo, de la necesidad de conocer el final resolutivo de la historia que se quiere contar y de la utilidad de un desarrollo claramente dividido en tres actos, sin olvidar la trascendencia que tiene construir convenientemente todos y cada uno de los personajes y la necesaria depuración que requieren los diálogos. Parámetros todos ellos igualmente importantes a la hora de abordar cualquier narración que se precie, pero que, como ya se ha dicho, requieren ser meditados para una más honda comprensión y conocimiento, independientemente de la intensidad con que luego se apliquen. Lo que Syd Field nos ofrece es un análisis minucioso de un modelo ampliamente aplicado en la industria cinematográfica americana; como afirma en la introducción al segundo volumen, *El manual del guionista*, sus libros no pretenden enseñar "cómo hacer" un guión sino "qué hacer" a la hora de intentarlo. A partir de esta premisa, sus dos volúmenes, independientes pero complementarios, constituyen la más amplia "asesoría" que se haya publicado en nuestro país para quienes deseen emprender el arduo camino que conduce a la escritura de guiones. La claridad expositiva, de índole eminentemente pedagógica, con la que están redactados, contribuye mucho no sólo a la comprensión de sus propuestas sino también al placer de su lectura. Las inevitables reiteraciones entre uno y otro volumen son comprensibles y perfectamente disculpables en nombre de la profundización del tema.

Ediciones Universidad de Navarra, S.A. (EUNSA), ha publicado, por su parte, *Guía del escritor de cine y televisión*. Su autor, Irwin R.Blacker, fue profesor de guión durante varios años en la Universidad del Sur de California, después de haber sido guionista de radio, cine, televisión y haber trabajado como analista de guiones. El libro que ahora aparece entre nosotros es el resultado de la sistematización de esta experiencia. Sus reflexiones se centran en torno a los mismos aspectos que los libros de Syd Field abordan, no en vano ambos autores trabajan a partir de la narrativa estándar o, si se prefiere, hegemónica, pero Irwin R.Blacker lo hace remontándose a sus orígenes más remotos, en las obras de los clásicos griegos, y mediante una exposición más esquemática y genérica. Los títulos de los capítulos mediante los cuales la lleva a cabo son suficientemente indicativos: El conflicto, la estructura, los personajes, la exposición y el diálogo. De esta manera, su desarrollo resulta mucho más sincopado y discontínuo, bastante menos efectivo de lo que al principio promete. Este déficit en su exposición quizá sea debido a que su autor murió antes de concluir la redacción definitiva de la obra, pero lo cierto es que su lectura resulta escasamente compacta y menos aún provechosa. La abundancia de películas citadas, sin pormenorizar en unos pocos títulos que pueden ser estudiados a modo de modelos paradigmáticos tampoco contribuye a la claridad del conjunto. El libro resulta así más un cúmulo de notas sueltas bien encaminadas que un manual práctico de indiscutible utilidad para la adquisición de un método de trabajo. Idénticas observaciones pueden hacérsele a su segunda parte, en la que bajo el genérico epígrafe "El guión en la industria del cine" se nos informa esquemática y sucintamente de algunos aspectos meramente utilitarios acerca del formato más conveniente, los elementos de producción y algunas otras generalidades sobre el funcionamiento industrial de la creación de películas. Un libro, en fin, que nos sorprende más por el mero hecho de haber sido publicado que por la sustancia que nos transmite. Todo lo que en él se nos sugiere puede hallarse mejor expuesto en cualquier otro libro de los ya abundantes que han visto la luz entre nosotros acerca de la misma materia. Sea, no obstante, bienvenido como complemento informativo en nuestro panorama editorial.

Lo peor de viajar es lo incómodo que es para los niños...

... lo mal que se come...

... y el poco espacio que hay para estirar las piernas.

Definitivamente, lo mejor de viajar es cuando uno entra en el Hotel.

T R E N H O T E L   T A L G O

Siempre, un viaje de placer.

VERTIGO
Alfred Hitchcok
Guión de Alec Coppel y Samuel Taylor
Artículos de Mario Onaindia, Loreto Casado, Rosa de Diego,
Lydia Vázquez Jiménez, Juan Láriz, José Luis Borau.

LA FIERA DE MI NIÑA
Howard Hawks
Guión de Dudley Nichols y Hagar Wilde
Artículos de Peter Evans, Mario Onaindia, Carlos F. Heredero,
Agustín Tena.

EL HOMBRE TRANQUILO
John Ford
Guión de Frank S. Nugent
Artículos de Miguel Marías, Jorge Martínez Reverte,
entrevista a José Luis Guerín por Mercedes Fonseca.

FURTIVOS
José Luis Borau
Guión de José Luis Borau y Manuel Gutiérrez Aragón
Artículos de Rosa Chacel, José Luis Borau, Mario Vargas Llosa,
Carlos F. Heredero, Mario Onaindia.

EL ENEMIGO PUBLICO
William Wellman
Guión de Harvey Thew
Artículos de Frank Thompson, Felipe Hernández Cava, Francisco Llinás,
entrevista a John Bright por Lee Server.

UN LUGAR EN EL MUNDO
Adolfo Aristarain
Guión de Adolfo Aristarain con la colaboración de Alberto Lecchi
Artículos de Esteve Riambau, Mirito Torreiro, Claudio España,
Teresa Toledo.

FRESA Y CHOCOLATE
Tomás Gutiérrez Alea y Juan Carlos Tabío
Guión de Senel Paz
Artículos de Tomás Gutiérrez Alea, Miguel Bilbatúa, Gilda Santana,
entrevista a Senel Paz por Teresa Toledo.

DUBLINESES
John Huston
Guión de Tony Huston y John Huston
Artículos de Tony Huston, Stephen G. M. Roberts, M.ª José Martínez
Jurico, Jorge M. Reverte, Dolores Devesa, Alicia Potes.

LE GENOU DE CLAIRE
Eric Rohmer
Guión de Eric Rohmer
Artículos de Carlos F. Heredero, Antonio Santamarina, Pascal Bonitzer,
Aurea Ortiz, M.ª Jesús Piqueras.

TIERRA Y LIBERTAD
Ken Loach
Guión de Jim Allen
Artículos de Rosana Pastor, Mario Onaindia, Ramón Sala Noguer,
José Luis Borau, entrevista a Ken Loach por Nuria Vidal.